Co

Gabriella Kuruvilla   Ingy Mubiayi
Igiaba Scego   Laila Wadia

Pecore nere
Racconti

a cura di Flavia Capitani e Emanuele Coen

Editori Laterza

Edizione

8   9   10   11   12   13

Anno

2019   2020   2021   2022   2023   2024

Proprietà letteraria riservata
Gius. Laterza & Figli Spa, Bari-Roma

Questo libro è stampato
su carta amica delle foreste

Stampato da
A.G.E. srl - Urbino
per conto della
Gius. Laterza & Figli Spa
ISBN 978-88-420-7797-8

Indice

Pecore nere

Igiaba

Igiaba Scego, 31 anni, è nata in Italia da genitori somali espatriati nel 1969 dopo il golpe di Siad Barre. Ha undici fratelli sparsi in giro per il mondo, è cresciuta a Roma ma fino alla prima media andava ogni estate a Mogadiscio nella casa di famiglia, grande e piena di sole. Da quasi vent'anni non vi è più tornata. Dice di essere pigra ma non si ferma neanche un minuto: lavora come commessa in una libreria, fa un dottorato in pedagogia e soprattutto scrive. Scrive racconti, parla per immagini e si interroga sulla propria identità. Il suo primo romanzo si intitola *Rhoda* (Sinnos Editrice 2004), la storia sofferta e a volte tragica di tre donne somale immigrate: Aisha, zia Barni e Rhoda. Ora, forse, sente che è arrivato il momento di liberarsi dell'etichetta di «scrittrice migrante», ma giura che la Somalia sarà sempre presente nei suoi libri. Da ragazzina era molto timida, chiusa, trascorreva intere giornate a leggere in italiano *Piccole donne*, *Tre uomini in barca*, i romanzi di Dickens, Salgari e Jane Austen perché le piaceva il gusto del pettegolezzo e del ridicolo. E poi i fumetti di Topolino, Paperino, Alan Ford e Diabolik. Un bel giorno ha scoperto il realismo magico di García Márquez e Jorge Luis Borges.

4

«Dismatria»

A Roma la gente corre sempre, a Mogadiscio la gente non corre mai. Io sono una via di mezzo tra Roma e Mogadiscio: cammino a passo sostenuto. Do l'impressione di correre, ma sempre camminando. Quando mia madre decise di lasciare la Somalia per cercare miglior fortuna qui a Roma, fu proprio questo a colpirla dei romani, il loro correre continuo. Con sgomento pensò ai polpacci delle donne: «Oh mio Dio, poverette! Avranno di certo caviglie grosse come melanzane. Non è per niente raffinato». Per mamma è basilare essere raffinati. I suoi miti non per niente sono Coco Chanel, Jacqueline Kennedy Onassis e una certa Howa *Harago*, una tipa che conosce solo lei, che a Mogadiscio e dintorni faceva furore per i suoi modi signorili. La immagino, la mia mamma, nauseata dalla grossolanità del mondo. La vedo... scuote la testa, arriccia il naso un po' disgustata, e poi quel silenzio di disapprovazione seguito da quel lento e inesorabile dondolio del capo.

Ecco perché avevo tanta paura quel pomeriggio. Non volevo, per nessuna ragione al mondo, vedere quel lento e inesorabile dondolio del capo. Non avrei retto, e chi poteva del resto? La mia angoscia aveva un motivo serio. Molto serio.

Spaventosamente serio. Quel pomeriggio avrei dovuto comunicare, a lei e a tutti, la mia intenzione di sistemarmi entro l'anno in una casa «comprata» con i miei sudati soldini.

INCONCEPIBILE! DISDICEVOLE! INAMMISSIBILE!

Inoltre mi facevo accompagnare da una personcina che non passava di certo inosservata. Era la prima volta in tanti anni che presentavo una persona a mamma e non solo a mamma. Del resto, mi era stato chiaramente detto «se non è necessario, PLEASE, non ammorbarci con gli estranei». Quindi a casa potevo portare poche categorie di persone papabili per una merenda pomeridiana a base di panna montata e crema. In realtà di persone ne conoscevo a iosa: grasse e alte, buffe e tinte, tappe e pazze. Alcune un po' fatte, altre decisamente tutte storte. Ma nessuno adatto per una merenda con mamma a base di panna montata e crema. Poi, finalmente, Angelique. Panna montata e crema al cento per cento. E poi – detto fra noi – avevo bisogno di sostegno morale, da sola non ce l'avrei mai potuta fare.

A quel tè pomeridiano, che mi sembrava un vero processo sotto mentite spoglie, avrebbe presenziato l'intero parentame di via Gori 3 palazzina B interno 15. L'intero parentame era costituito da zia Sofia, le cugine Zeinab e Mulki, figlie di zia Sofia, e il mio fratellino Omar. Nonché, naturalmente, la mia genitrice Nura Mohamud Jama, della tribù dei *Sacad*, rinomati dalle nostre parti per essere implacabili sanguinari, torturatori, massacratori, assassini e tante altre cose allegre da far morir dal ridere l'esorcista dell'omonimo film. Non so se mamma sia una sanguinaria. Non l'ho mai vista imbracciare un kalashnikov. Ma implacabile lo è eccome. Già vedevo mentalmente la scena di come avrebbe massacrato Angelique. L'avrebbe fatta a fettine e forse, chissà, se la sarebbe mangiata a colazione insieme a quella brodaglia acidula fatta di caffè, zenzero e sostanze non identificate, con cui era solita cominciare la giornata.

Da quello che ho detto sembra quasi che odi mia madre. Io la amo invece. L'adoro. La venero. La riverisco. La ossequio. Ciò non toglie che a tratti la tema. E quel pomeriggio era uno di quei tratti.

Il problema, lo sapevo bene, non era il colore della pelle di Angelique. A mamma e al resto del parentame non importava un fico secco se mi trascinavo dietro una bianca o una gialla. Non era nemmeno un problema religioso quello che mi affliggeva. Hare Krishna, protestante, ebreo, ateo... per noi quelli erano dettagliucoli da niente. Non era un problema che i film di Hollywood o di Cinecittà avessero mai trattato nella loro lunga storia. Nemmeno Woody Allen, nemmeno lui con la sua grande fama di psicodepresso era mai incappato in una roba simile alla mia. E Woody, in quanto a paranoie e cose strane, è uno dei migliori sulla piazza mondiale. Ero sola in questa cosa. Ne avevo l'esclusiva. Bell'affare! Non potevo avere l'esclusiva di qualcosa di meglio? Non so, l'esclusiva dei baci alla francese con il risucchio o delle prugne della California? Invece avevo l'esclusiva di quel problema di merda. Ne avevo parlato pure alle mie amiche, ma nessuna di loro mi aveva mai detto: «Oh, anch'io». Ero veramente sola in questa cosa.

Sola, Sola, Solissima.

Il mio problema, amici, era costituito dalle valige.

Sì, giuro, valige. Quelle cose a forma di parallelepipedo in cui mettiamo la nostra roba quando dobbiamo andare da qualche parte, di solito lontano. Potremmo chiamarle anche borse, sacche o più semplicemente bagaglio a mano, ma la sostanza rimane la stessa: parallelepipedo o forma geometrica affine. In Giappone ne hanno inventate anche di esagonali, roba da viaggio intergalattico. L'ho visto in un documentario serale su Rai 3. Del resto le cose strane, curiose, interessanti, in Italia si vedono ormai solo ed esclusivamente a notte fonda. In prima serata invece è solo un gran rifiorire di tette, culi, sciocchezze, belle gnocche, presentatori attempati, giovani lampadati, transgender siliconati, tante pance, poca cellulite, audience... audience... audience e zero humor. Però poi c'è l'universo notturno, fatto di reportage d'attacco, film di Bergman sottotitolati, vera satira politica. Addirittura una notte ho beccato un documentario con gli gnu, quella specie di mucca con la barba che aveva allietato tanti miei pomeriggi d'infanzia e che ormai è una specie in via di estinzione nei palinsesti televisivi. È proprio vero, di notte puoi trovare di tutto, anche un'Italia che non c'è più, anche uno gnu che non c'è più. Ed io invece avevo trovato quella valigia stratosferica. Da non credere! Giuro, da non credere! Aperture a zip praticamente ovunque, tasche praticamente ovunque, cose strane praticamente ovunque. Poi quel design così moderno, così spaziale. Io l'ho sempre sostenuto, i giapponesi sono una spanna avanti a tutti, soprattutto per quanto riguarda il superfluo.

Quella valigia giapponese mi sarebbe piaciuto averla...

Solo quella però. Il resto della famiglia delle valigie per me era solo spazzatura. Le stramaledette valigie erano ormai per me solo tormento, strazio e sofferenza.

È palese che le odio. Mi hanno sempre invaso la vita. A casa ne avevamo una quantità industriale, così tante da fare invidia al miglior mastro valigiaio della città, di tutte le forme e di tutti i colori. Mulki, proprio la settimana prima, ne aveva comprata una di velluto color fucsia psichedelico. È che Mulki è appassionata di rock-pop e voleva ad ogni costo una valigia un po' stravagante per ficcarci dentro la *top of the best* della sua immensa collezione di cd, collezione che va dalla A

8

degli Abba alla Z degli ZZ Top. Prima o poi, lo sento nel cuore, gli ZZ Top prenderanno possesso anche dello spazio fisico di mia appartenenza nella casa. O forse lo hanno già fatto e non me ne sono accorta? Maledetti ZZ Top! Del resto non mi sono mai piaciuti, stridono troppo per i miei gusti. Io sono più soft, sono più tipo da Herbie Hancock, ecco. Ma con 'sti dischi Mulki stava proprio esagerando; mi mandava fuori di testa. Troppe valigie e troppi dischi. Ne avesse avuto almeno uno di Herbie Hancock... E invece niente. Negli ultimi tempi per di più stava virando verso l'heavy... ascoltava sempre certi tipacci, poveri noi!

Ma non era l'unica ad esagerare.

Ahimè, non era l'unica!

Ogni membro della famiglia aveva in verità le sue valigie e naturalmente ci metteva dentro la sua esistenza. I vestiti per prima cosa, ma poi ognuno ha le sue stravaganze ed ecco che la valigia rivela un universo.

Zia Sofia, la mamma di Mulki, per esempio aveva una bella valigia in pelle comprata a Lisbona, di quando era immigrata là. Una impugnatura di metallo e il tenue color marrone distendevano lo spirito di chiunque posasse gli occhi su quella meraviglia della natura. A volte non mi capacitavo che quella meraviglia fosse solo una misera valigia. La pelle era di una qualità molto alta, a distanza di tanti anni sapeva ancora di buono e di genuino. Zia Sofia, che è molto devota ad Allah e al suo profeta (che Dio lo abbia in gloria), aveva deciso che quella meraviglia era destinata alle cose di Dio. Quindi l'aveva riempita di cose di Dio: rosari, svariate edizioni in svariate lingue del Corano, cassette di sconosciuti predicatori egiziani, canzoni di Yousuf Islam – meglio conosciuto con il nome occidentale di Cat Stevens – e un vestito di un bianco latteo che la zia conservava gelosamente per quando un giorno sarebbe andata in pellegrinaggio alla Mecca, come ogni buon musulmano deve fare almeno una volta nella vita, sempre che abbia possibilità economiche. Anche il mio piccolo mostriciattolo, Omar, con i suoi undici anni appena compiuti, aveva una valigia tutta per sé. Lì nascondeva i suoi pensieri, i suoi album da disegno di quando era piccolino, le figurine dei suoi calciatori preferiti (aveva ben cinquanta figurine tutte uguali del suo idolo Francesco Totti), i suoi giocattoli e la lettera d'amore che aveva scritto ad una sua compagnuccia dai capelli bluastri e che non aveva mai avuto il coraggio di spedire. Tutti avevano tante valigie. Anche la mia genitrice ce l'aveva. Lei ne aveva addirittura cinque e andava fiera di tutte e cinque. Quattro erano per i vestiti e cianfrusaglie varie, la quinta era un mistero. In tanti anni – a marzo saranno trenta, ahimè – non mi ha mai lasciata avvicinare a quella valigia misteriosa. Quanto sarei curiosa di vederne il contenuto! Darei non so cosa.

Anch'io naturalmente avevo delle valigie. Ma le odiavo. Le trattavo male. Le cambiavo spesso. È che le valigie mi esasperano. Avrei voluto un solido e robusto armadio. Avrei voluto tenere le mie cose meno in disordine. Avrei voluto sicurezza.

Invece a casa mia la parola armadio era tabù. Come del resto erano tabù la parola casa, la parola sicurezza, la parola radice, la parola stabilità.

Concetti astratti per la mia famiglia. Illogici!

La verità è che tutte quelle valigie nascondevano la nostra angoscia, la nostra paura.

Mamma diceva sempre: «Se teniamo tutte le nostre cose in valigia, dopo non ci sarà bisogno di farle in fretta e furia». Il «dopo» sottolineava un qualche tempo non definito nel futuro quando saremmo tornati trionfalmente nel seno di mamma Africa. Quindi valigie in mano, aereo, ritorno in pompa magna, felicità estrema, caldo e frutta tropicale.

Il nostro problema era tutto lì, in quel puerile sogno infantile.

Il sogno aveva un nome nel nostro cuore, un nome segre-
to che non pronunciavamo mai. Non volevamo sgualcirlo o
peggio.

E attendevamo...

Attendevamo...

Attendevamo...

E poi niente. Non succedeva mai niente! Eravamo in continua attesa di un ritorno alla madrepatria che probabilmente non ci sarebbe mai stato. Il nostro incubo si chiamava *dismatria*. Qualcuno a volte ci correggeva e ci diceva: «In italiano si dice espatriare, espatrio, voi quindi siete degli espatriati». Scuotevamo la testa, un sogghigno amaro, e ribadiva-
mo il *dismatria* appena pronunciato. Eravamo dei *dismatriati*, qualcuno – forse per sempre – aveva tagliato il cordone
ombelicale che ci legava alla nostra *matria*, alla Somalia. E chi
è orfano di solito che fa? Sogna. E così facevamo noi. Vivevamo di quel sogno, di quell'attesa, un po' come gli ebrei vivono nell'attesa del Messia. Né noi né gli ebrei siamo sicuri
che questo succederà, forse non ci importa, a volte basta avere l'illusione. E così vivevamo, facevamo finta di essere gio-
viali, allegri, senza pesi, come gli altri. Nel cuore però porta-
vamo il tormento degli esuli. In cuor nostro sapevamo che
non saremmo più tornati nella nostra Somalia, perché di fatto non esisteva più la nostra Somalia. Ma piuttosto che ammettere questa semplice verità, preferivamo prenderci in giro da soli. La Somalia, quella sognata, quella vagheggiata,
quella desiderata, sopravviveva solo nei nostri sogni ad occhi
aperti, nelle chiacchiere notturne delle donne, nell'odore del
cibo delle feste, nei profumi esotici dei nostri capelli. Anche
io e Mulki, che la Somalia l'avevamo appena sfiorata, viveva-

11

mo di quel dolore. Ed anche il piccolo Omar, che la Somalia non l'aveva praticamente mai vista, di tanto in tanto spargeva le sue piccole lacrime innocenti per quella terra mai conosciuta. La guerra civile (ma può una guerra essere definita civile?) aveva infatti spazzato via il sogno di tornare. Certo potevamo andare a vedere la Somalia di oggi, quell'ammasso informe di *warlords*, corruzione, fame. Potevamo, eccome! Potevamo anche decidere di viverci. Bastava prendere un aereo da Dubai e partire verso quella terra ormai di nessuno, dove i governi del mondo ricco avevano deciso di gettare i loro rifiuti tossici. Ma non sarebbe stata la stessa cosa, lo sapevo io e con me tutti gli altri. La nostra Somalia ormai era morta, defunta, finita. Ma noi, come chi vuol negare l'evidenza, facevamo finta che lei, quella donna capricciosa che ci tormentava, si fosse assentata solo per un attimo, per incipriarsi quel naso a punta che la contraddistingueva tra le sue sorelle africane. Ecco perché avevamo tante valigie, ecco perché non compravamo armadi, ecco perché la parola casa era tabù. La sicurezza, la stabilità, diventare sedentari, diventare italiani... tutto avrebbe infranto il nostro bel sogno. Mentivamo apertamente a noi stessi e purtroppo ne eravamo consapevoli.

Io però io mi ero stufata! Mi ero rotta! Mi ero stancata! Volevo un armadio, anche piccolo. Una casa, anche piccola. Una vita, anche breve.

Oh Dio, che vedi tutto, volevo solo una ridicola realtà. Una mia personale ridicola realtà.

Ecco perché adoravo i mobilifici. Non era raro vedermi davanti ad una di queste strutture, in contemplazione di armadi di legno solido e forma ergodinamica. Ero innamorata degli armadi. Incantata, cotta, sedotta, ammaliata. A volte desideravo essere io stessa un solido armadio. Ah, se credessi nella reincarnazione (purtroppo non ci credo) chiederei a

12

Buddha, Shiva o chi per loro: «Vi prego, nella prossima vita fatemi nascere armadio».

L'armadio è uno degli elementi più classici dell'arredamento di una casa. La gente si ostina a considerarlo un fardello, io lo considero invece la luce che toglie dalle tenebre. Ma la gente, si sa, spesso non ci capisce un'acca della vita. Quante volte ho sentito il commento: «Oh, il mio armadio è così ingombrante», o addirittura «mi toglie spazio», e anche «mi soffoca» è abbastanza gettonato. Ma il commento più ingrato e sicuramente il peggiore è: «Vorrei farlo scomparire». Ed ecco che ci si affanna per incassarlo nel muro, o peggio lo si scaccia in luoghi bui e lontani alla vista, i cosiddetti spogliatoi. Quando questo non è possibile (non tutti hanno a disposizione metri quadri da scialacquare), è necessario trovare una collocazione «intelligente», che tenga conto della posizione del letto rispetto alla finestra. Allora il cervello si mette in moto e pensa: «Dove cazzo lo metto?». Ed è qui che la fantasia si sbizzarrisce ed è un tripudio di ipotesi cervellotiche e stravaganti. Di fianco, di fronte, in alto, in basso, di sbieco, di sguincio. «Allora caro, che ne dici di un armadio ad ante scorrevoli?». Spesso il «caro» in questione non è d'accordo con la «cara» in questione. Ma nella mia frequentazione di armadi ho capito una cosa: le donne sono per le ante scorrevoli, gli uomini invece, più tradizionalisti, amano sentire lo sbatacchio dei battenti, forse ricorda loro il seno materno.

Ed ecco che gli armadi diventano terreno di battaglia della storica e infinita guerra dei sessi. Si litiga per un armadio, ci si prende per i capelli, si divorzia perfino. E perché? Perché alla fin fine noi esseri umani non capiamo la filosofia intimamente semplice di questo mobile nobile e austero. Sono sicura che Socrate e Platone lo avrebbero apprezzato molto di più. Ma c'erano gli armadi ai tempi di Socrate?

Io comunque sono per la tipologia «a isola», cioè l'armadio posto al centro della stanza, l'armadio Re. Non ingombrerebbe, ne sono sicura.

Sì, non ingombrerebbe... HIP HIP HURRAH per l'ISOLA, la mia ISOLA.

Quel pomeriggio però non parlammo di armadi, anzi all'inizio credo non parlammo proprio di nulla. Gli occhi del parentado erano appiccicati sulla figura di Angelique. Occhi pieni di punti interrogativi. Ognuno si faceva domande su di lei. E a volte si dava anche le risposte. Io non contraddicevo le ipotesi. Ma nemmeno le avallavo.

Erano tutte assetate di notizie, fameliche di gossip, insaziabili scavatrici di sensazioni. Nonostante tutto, stavano in silenzio, nessuna voleva essere la prima a cominciare le danze. Per questo, oltre ad affaccendarsi, non facevano null'altro.

La presenza di Angelique le disorientava. Era la prima volta che vedevano una *drag queen* così da vicino. Quando l'avevo conosciuta, Angelique si chiamava ancora Angel. Era fuori dallo stereotipo come omosessuale. Non era lezioso, non era vanesio e non ondeggiava. Camminava ritto su se stesso, in perfetta armonia con il suo peso.

Mi ricordo il giorno che l'avevo conosciuto, cinque anni prima. Lavoravo in un negozio e lui era da poco arrivato in Italia dal Brasile. Mi guardò e mi chiese: «fica aberta toda noite», con quel «noite» (pronunciato «noici», alla Pelé) molto marcato nel finale. Io gli diedi un sonoro ceffone, che per poco non gli fece partire l'orecchio destro. Credevo volesse una puttana, una «figa» aperta. Morii di vergogna quando mi spiegarono che «fica» in brasiliano significa «restare», e non quello che avevo pensato io. Uno schiaffo ci rese amici e ancora oggi Angelique parla di quello schiaffo come di un miracolo, perché grazie a questo aneddoto rimorchia sempre tanto e poi «perché ho conosciuto *você minha querida*».

Quindi un po' per amicizia, un po' per il fatto che grazie a me rimorchia tanto, si era immolato per me in quella farsa pomeridiana con la mia famiglia.

Zia Sofia le stava guardando le tette. Anche Mulki e Zainab le stavano guardando le tette.

Erano grandi tette davvero. Le *drag* in questo sono spettacolari come i fuochi di artificio.

Mamma invece scrutava. Era l'unica ad aver capito che Angelique non stava lì per dare scandalo o per provocare. C'era dell'altro in ballo. Per questo scrutava me e non lei.

Odio essere scrutata. Con mamma mi sento sempre sotto un cazzo di microscopio.

«Alla mia tribù non sfugge nulla», soleva dire sempre, peccato che le sfuggivano i miei desideri. Oddio, ce l'avrei mai fatta a dirle della casa?

Guardai la tavola. Mi rasserenai. La famigliola si era preparata molto bene quel pomeriggio. La tavola era imbandita di ogni ben di Dio. Di ogni leccornia presente in Oriente e in Occidente. Sembrava qualcosa tra il pranzo di Natale e il pasto serale che rompe il digiuno nel mese sacro di Ramadan. Ogni centimetro del tavolo era occupato. Tre tipi di tè speziato, due tipi di caffè, uno speziato e uno no. Succhi di frutta a volontà, svariati dolci, svariati salati, svariati agrodolci. Era una festa per gli occhi. Anche Zainab aveva fatto la sua specialità: lei, che era stata in Egitto tanti anni, ci aveva preparato uno stufato di ceci e carne, qualcosa che riconciliava con il divino. Peccato però che nessuno prendesse l'iniziativa di cominciare il banchetto. Eravamo in contemplazione, ma nessuno si decideva a passare all'azione. Era evidente che tutti si aspettavano una mossa di Angelique.

Lei era, fra tutti, la più calma. Di fatto era l'unica a non essere coinvolta veramente. Mentre io tremavo in tutto il mio essere, lei riusciva anche a sorridere. Aveva bei denti e spesso li metteva in mostra al mondo. Non era vanitosa, ma della sua dentatura perfetta andava orgogliosa. Nessun dente storto, nessuna carie, nessun rialzo, nessun fastidio. Questo le faceva risparmiare ogni anno l'umiliazione di un'otturazione e molti quattrini. Angelique non era bellissima, forse non era nemmeno bella. Ma aveva classe, era raffinata. E questo non era passato inosservato alla genitrice. Mamma Nura anelava ad ogni cosa che fosse minimamente raffinata. E passava sopra anche ai suoi pregiudizi sui «deviati» (come li definiva lei). Per questo fece tre sorrisoni d'intesa all'indirizzo della mia amica *drag*.

Passavano i minuti e non succedeva niente.

Poi Angelique, visibilmente annoiata da quel silenzio, cominciò ad adocchiare la tavola imbandita. Anche gli altri lo facevano, ma dissimulavano bene. Lei, che non è brava a dissimulare, guardò sempre più avidamente la tavola. Adocchiò qualcosa di succulento a nord-est del termos pieno di uno dei tre tè speziati. Girò lentamente la testa ad ovest, ma con la mano puntata dritta verso quell'est succulento e provocante. Mangiare per primi ad un buffet richiede più discrezione, spontaneità e umanità di qualsiasi altra arte. Si è rei di una violazione, ma poi nessuno si ricorderà di voi al momento del processo. Perché alla fine si è tutti colpevoli.

La mano partì e le mascelle di Angelique si misero subito in movimento. L'est era stato attaccato. Angelique aveva gradito il bottino di guerra. Il suo palato si beava della carne che faceva da ripieno a quel fagottino di pasta sfoglia. Volle anche fare il bis e conquistare definitivamente quell'est di fagottini ripieni. Gli altri, invidiosi del successo dell'estranea, la imitarono.

Si svolse tutto molto in fretta. Quasi non me ne accorsi. Non ricordo, ma di certo partecipai anch'io a quell'orgia cibesca. L'angoscia che provavo non era comunque servita a togliermi l'appetito.

Guardai la tavola che un tempo era stata imbandita. Ci era passato sopra un tornado. Ogni centimetro del tavolo era stato saccheggiato. I tre tipi di tè speziato prosciugati, i due tipi di caffè tracannati, i succhi di frutta aspirati. E che dire poi degli svariati dolci, svariati salati e svariati agrodolci? Dissolti nel gorgo di varie mascelle in attività. Mangiati, gustati, digeriti. Lo stufato di Zainab era stato tra i primi a scomparire in qualche intestino. Insomma, il cibo aveva fatto il suo dovere. Solo che in quella bagarre di suoni vocali e suoni mascellari mancava un suono decisivo: il suono della voce (e della mascella) di mamma. Lei non aveva pronunciato verbo e non aveva assaggiato nulla. Si era limitata a sorseggiare un caffè tradizionale senza zucchero. Ecco, la città era stata conquistata, ma mancava la fortezza... solo allora si sarebbe potuto parlare di trionfo.

Mamma stava fissando me ancora una volta. Mi stava scrutando, esaminando, scandagliando con il suo occhio sinistro, mentre l'occhio destro si stava occupando della mia anima.

Guardai la genitrice. Mi chiedevo quando sarebbe scoppiata. E mi chiedevo se avrei avuto il coraggio di dirle la cosa che mi tormentava il cuore.

Guardai Angelique e forse le chiesi aiuto.

Mamma mi fissò ancora una volta a lungo. Sorseggiò il caffè rimasto nella tazza.

Poi si avvicinò ad Angelique, spiazzandomi. Credevo che si sarebbe rivolta a me, dopo tutto quello scrutare ed esaminare. Invece parlò con la *drag* e le disse: «Che ci fa lei qui? Non c'entra con noi. Non è della famiglia. Poi signora, non so se lo avrà notato, ma lei è una deviata, omosessuale insomma».

Disse quella parola «omosessuale» con un certo curioso distacco.

Forse era arrivato il mio turno. Dovevo parlare, lo sentivo. Dire qualcosa in sua e in mia difesa. Spiegare. Che potevo avere (anzi avevo) amici gay. Che avevo una vita fuori da lì e che la mia vita fuori era libera da valigie. E che presto me ne sarei andata. Che avrei comprato una casa. E ci avrei messo dentro un armadio. E che mi sentivo italiana. E che sentirsi italiani non significava tradire la Somalia.

Ma proprio non ce la facevo a pronunciare verbo.

Angelique, che è il mio angelo, fece le mie veci. E disse solo: «Grazie di avermelo fatto notare, ne avevo un vago sospetto fin dall'età di tredici anni. Imitavo Maria Bethânia davanti al grande specchio in camera dei miei. La conosce Maria Bethânia?».

Mamma era stata presa in contropiede.

«No? Dovrei?».

«Non necessariamente. Ma...».

«Io conosco Maria Bethânia», gridò Mulki nel modo indistinto tipico di chi ha la bocca piena (evidentemente aveva fatto scorta di qualche dolcetto). Detto questo si alzò e se ne andò. Tornò con una valigia, non quella fucsia, ma una color cacarella.

«Se la apro mi dici dove ti sei rifatta le tette?».

«In Marocco baby, a Casablanca».

«Marocco...», ripeté tra sé la ragazzina, quasi non capacitandosi che le tette stratosferiche venivano dal paese che fabbricava più immigrati al mondo. Non si fece aspettare, Mulki.

Aprì cerimoniosamente la valigia cacarella e ne estrasse un disco con in copertina una masai che tendeva la mano verso l'infinito.

Angelique non guardò il disco di Maria Bethânia. Andò dritta verso la valigia di Mulki. La accarezzò come avrebbe fatto con il corpo di un amato e poi con gran sorpresa ne rovesciò violentemente il contenuto. I dischi giacevano a terra cadaveri. Nomi eccellenti, eccellentissimi, erano sparsi come i caduti della Grande Guerra: David Bowie, i Bee Gees, John Denver, Simon & Garfunkel, i Beatles, e naturalmente loro, i famigerati ZZ Top. I dischi giacevano. Miseri. Immobili. Mulki piangeva. «Perché?», gridava. «Perché?», piagnucolava.

«Perché è ridicolo!».

«Cosa?», gridò il coro di donne.

«Tenere la roba in valigia, non vivere, castrarsi. Questo è assurdo! Ma non lo vedete che è assurdo? Vi meravigliate delle mie tette, credete che sia pazza, ma i pazzi siete voi... non vi rendete conto?».

Poi fece qualcosa di ancora più strabiliante. Mi prese violentemente per un braccio e mi portò dritta davanti alla mia mamma.

«Parlale!», ordinò.

Tutti aspettavano che io parlassi. Ero vigliacca e odiavo parlare, confrontarmi, deludere le aspettative.

Guardai i dischi per terra. Ne vidi anche uno di Bill Evans.

E allora capii, capii tutto. Era chiaro quello che dovevo fare, quindi lo feci. Parlai.

«Voglio comprarmi casa, mamma. Voglio andare a vivere da sola. Voglio un armadio anche, e non più valigie, mai più».

Mamma invecchiò di trent'anni sotto i miei occhi. Nessuno in casa le aveva mai parlato così. Avevo rotto il patto dei *dismatriati*. Ero un paria ribelle.

«Ma c'è l'affitto figlia mia, puoi andare in affitto, non è necessario comprare casa, questa non è la nostra terra».

«No, mamma... devo comprarla, i soldi spesi in affitto sono soldi buttati. Voglio che mi rimanga qualcosa in mano. Voglio un buco mio in questo mondo e poi, mamma, questa è la mia terra».

L'abbracciai come non avevo mai in fatto in tutti i trent'anni della nostra conoscenza e lei ringiovanì.

Sentivo il suo calore sotto le mie braccia e la sentii per la prima volta piccola e fragile.

Eravamo *dismatriate*, orfane, sole. Ci dovevamo dare una speranza, cazzo. Il nostro abbraccio durò all'infinito. Poi, quando l'infinito finì, ci accorgemmo che intorno a noi c'erano rovine. Tutti avevano svuotato le loro valigie. Ed ecco che il salotto di casa si riempì di cose viste e mai viste. Forcine per capelli, top dai colori elettrici, braccialetti a fiore, libri di poesie, foto in bianco e nero, trousse invecchiate, riviste colorate, sciarpe scolorite, mantelle di lino, cartoline sbiadite, rosari sbrecciati, pennelli stropicciati, vecchi film in VHS, batterie in disuso, bambole di pezza, incensieri rovinati, cornici vuote, radioline ammaccate, forbici da lavoro, floppy disc mai usati, quadernini intonsi, e tante, tante, troppe cose. I nostri vestiti, i nostri segreti, i nostri tormenti. Tutti lì su quel pavimento freddo e scarno. Anch'io corsi a svuotare le mie valigie. E stranamente lo stesso fece mamma. Le svuotò tutte e quattro. Non la quinta.

«Fallo tu, figlia mia», disse.

E lo feci. Aprii la valigia come si devono aprire le cose di valore, come Carter l'archeologo ossessionato da Tutankhamon aprì la sua tomba per la prima volta. La aprii e dapprima non vidi nulla. Solo un odore acre di chiuso mi assalì le narici. Poi cominciai ad intravedere. C'erano cose strane. Un pacco di spaghetti, foto di monumenti di Roma, il pelo di un gatto, un parmigiano di plastica, un souvenir pacchiano della lupa che allatta i gemelli, un po' di terra in un sacchetto, una bottiglia piccola piena di acqua, una pietra... tante altre cose strane. Guardai la mamma e anche gli altri lo fecero. Un punto di domanda nei nostri occhi.

«Che significa?», dicevano i nostri occhi.

«Non mi volevo dimenticare di Roma», disse mamma in un sospiro. E poi sorrise.

Ci guardammo tutti. Sorriso globale. Non lo sapevamo, ma avevamo un'altra *matria*.

Salsicce

Vivir con miedo es como vivir
a medias

Oggi, mercoledì 14 agosto, ore 9 e 30, mi è accaduto un fatto strambo. Per ragioni mie e ancora poco chiare ho comprato una grande quantità di salsicce. Il fatto strambo non consiste naturalmente nel comprare salsicce. Chiunque può farlo, chiunque può entrare in un qualsiasi negozio di una qualsiasi strada dimenticata da Dio e dire: *Ahò me dai 5 chili de salsicce! Ehi, ma le vojo de quelle bbone, quelle che se sciojono en bocca come er miele.* Chiunque può formulare un pensiero del genere. Non è strambo nemmeno il fatto che abbia comprato le salsicce oggi, vigilia di Ferragosto. Ormai Roma è la capitale di un paese che si considera parte della rete globale, una città moderna, popolata di gente moderna, quindi aperta, anzi, che dico, SPALANCATA! Era naturale che in uno scenario globale il Ferragosto italico per forza di cose risultasse démodé, con le strade vuote, le saracinesche abbassate, il silenzio di un giorno d'estate. Oggi trovare le salsicce non è un'impresa da titani.

Allora, vi chiederete, cos'è stato strambo? Cosa ha rotto l'equilibrio della normalità?

Naturalmente sono stata io!

La stranezza infatti non è nell'oggetto comprato, ma nel soggetto compratore di salsicce: io, me medesima, in persona. Io, una musulmana sunnita.

Non so cosa mi è preso, giuro non lo so! In realtà il mio risveglio non è stato brusco, niente scossoni, niente mal di testa violenti, niente pressione sanguigna dai valori bassi subnormali, niente di niente! Era una mattina come le altre, o almeno lo credevo. Qualche uccelletto cinguettava (non mi chiedete qual era, per carità, perché per me sono tutti uguali), i vicini bestemmiavano come al solito, i gas di scarico fumavano e la vescica stava lanciando segnali lancinanti di pericoloso svuotamento in vista. Era la solita mattina con la solita gente. Nessuno era andato in vacanza, nell'era dell'euro è quasi proibitivo.

Insomma, la solita minestra! Non ricordo se al risveglio la mia espressione fosse felice o triste, ma sono sicura che la voglia di peccare era l'ultimo dei miei pensieri, anzi non era presente nei sopraccitati pensieri. Allora perché quelle maledette salsicce?

Sono andata a comprarle da Rosetta, quella che ha la drogheria dietro l'angolo. Rosetta è una donnona simpatica, forse ha troppe tette e troppo pesanti, ma ha un sorriso che ti stende, giuro, un sorriso che vale oro. Se aggiungete che mi fa gli sconti sul formaggio, quello *bbono*, capirete da voi che Rosetta è una da tenersela stretta stretta. Bè, allora, che dicevo? Ah sì, sono andata a comprare *'stè* salsicce da Rosetta e le ho mentito spudoratamente. Io odio mentire! Rosetta naturalmente s'è un po' stranita alla mia richiesta di salsicce, di prima mattina poi. Allora mi ha guardato con i suoi occhiet-

24

ti furbi, abbozzando uno di quei sorrisi per cui è famosa nel circondario, e poi ha detto con una voce melliflua melliflua, così sapor melassa da poterci nuotare dentro: «Ma che cara, ti sei convertita? Non era peccato per te mangiare salsicce?». Mi sono un po' irrigidita, sarà stato sicuramente per via della parola «peccato», credo. Rammentare la gravità del mio atto non mi rendeva il compito facile, anzi! Quindi, dopo essermi irrigidita (ma non molto), le ho mentito dicendo: «Sono per la vicina, cara Rosetta».

Mi ha fatto un bel pacco la Rosetta, niente da obbiettare, ma lo sconto me lo sono giocato quando ho nominato la vicina. Rosetta odia la mia vicina da quando ha osato criticare la disposizione delle decorazioni natalizie del 1999.

Senza sconti, io e il mio bel pacco siamo tornati trotterellando a casa.

Ora sto chiusa in cucina con il mio pacco pieno di salsicce impure e non so che fare! Perché cazzo le ho comprate? E *mo'* che ci faccio? Un'idea sarebbe cucinarle, ma chi la sente la mamma, dopo? Mi ricordo che quando ero piccola mamma aveva comprato per sbaglio dei sottaceti con il wurstel di suino dentro. Il bello era che la mia mamma non sapeva che ci fosse l'immondo maiale dentro e ci condì l'insalata di riso. Risultato: qualcuno si accorse del truffaldino wurstel e noi abbiamo dovuto vomitare il riso fino all'ultimo chicco. Ma la fine più brutta la fece la padella in cui mamma aveva amalgamato l'immondo composto. La padella, ahimè, fu condannata in contumacia, una condanna a morte! Il dramma era che la povera padella non poteva appellarsi nemmeno in cassazione, era povera e *l'avvocati coi mijardi* (pardon, *coi mijoni*, io parlo ancora in vecchie lire) *nun li teneva*.

Ma si cucinano in padella le salsicce? Si friggono? O forse si lessano? E se usassi il forno? Ma poi me le *magno* davvero, tutte intere? O sul più bello mi manca il coraggio e le butto?

Guardo l'impudico pacco e mi chiedo: ma ne vale veramente la pena? Se mi ingoio queste salsicce una per una, la gente lo capirà che sono italiana come loro? Identica a loro? O sarà stata una bravata inutile?

La mia ansia è cominciata con l'annuncio della legge Bossi-Fini: *A tutti gli extracomunitari che vorranno rinnovare il soggiorno saranno prese preventivamente le impronte digitali*. Ed io che ruolo avevo? Sarei stata un'extracomunitaria, quindi una potenziale criminale, a cui lo Stato avrebbe preso le impronte per prevenire un delitto che si supponeva prima o poi avrei commesso? O un'italiana riverita e coccolata a cui lo Stato lasciava il beneficio del dubbio, anche se risultava essere una pluripregiudicata recidiva?

Italia o Somalia?

Dubbio.

Impronte o non impronte?

Dubbio atroce.

Il mio bel passaporto era bordeaux e sottolineava a tutti gli effetti la mia nazionalità italiana. Ma quel passaporto era veritiero? Ero davvero un'italiana nell'intimo? O piuttosto dovevo fare la fila e dare come tanti le mie impronte?

Questa storia delle impronte mi sembrava tutto un errore, lo scarabocchio senza senso di un bambino infuriato. Perché umiliare così la gente? E perché creare scompensi in altra gente non sicura della propria identità? Quelle maledette impronte avevano svegliato in me un demone che si era assopito da tempo immemorabile. Avevo sperato che quel demone non si svegliasse mai. Ma poi sono arrivate loro: le impronte, quelle maledette, fottutissime impronte.

A otto anni ogni bambino è vessato da una caterva infinita

di domande idiote, del tipo «ami più la mamma o più il papà?».
Naturalmente il bambino, che è un essere intelligente (ahimè,
diventerà idiota crescendo), fa una faccia stralunata e non
risponde. Sa che ogni risposta che darà potrà essere usata contro di lui nel tribunale familiare, e poi non vuol dare un dolore ai due esseri viventi che ama più di tutti e tutto su questa terra. Quindi il bambino si cuce le labbra e fa finta di non aver
capito. Lo stesso capitava a me all'età di otto anni! La domanda troglodita che mi facevano era: «Ami più la Somalia o l'Italia?». Gettonata era anche la variazione sul tema: «Ti senti più
italiana o più somala?». Insomma, se è vero che spostando l'ordine degli addendi il risultato non cambia, la domanda, in qua-
lunque modo fosse posta, risultava (e ahimè risulta ancora)
improponibile. Per fortuna da bambino puoi soprassedere,
fare il finto tonto, lo scemo del villaggio globale, il capriccio-
so, il superiore. Da bambino è sempre più facile trovare una
via d'uscita, ma più si cresce più diventa difficile svicolare. E
questa impresa diventa impossibile quando si è seduti al banco degli imputati di un concorso pubblico.

I concorsi sono le moderne macchine da tortura; se non si
ha un santo in paradiso, diventa una corsa riservata a pochi
eletti. Mi ricordo di una frase del grande, vecchio, buon De
Sica a un Alberto Sordi vigile fresco di assunzione che lo rin-
grazia per la «raccomandazione». De Sica guarda un po' tor-
vo l'Albertone nazionale e poi con una voce sferzante lo cor-
regge: «si dice segnalazione», scandendo bene tutte le lettere
della parola: S-E-G-N-A-L-A-Z-I-O-N-E.

Io e altri 299 disgraziati, tra cui una buona parte segnalati
d'annata, avevamo superato un tour de force estenuante. Ses-
santa domande di preselezione, uno scritto di otto ore e un
altro di quattro. Se penso che eravamo partiti in 5000, per finire in 300, ecco, se penso a questo mi tremano le ginocchia.

Se penso che solo 38 avranno il posto, comincia a mancarmi il respiro. E se penso che 30 saranno segnalati mi viene da vomitare. Invece se penso al mio orale comincio a provare vergogna, non so se più per me o per chi mi ha fatto quella domanda.

Non ricordo nulla di quell'esame. Mi ricordo solo di un'enorme faccia butterata che mi stava davanti. Mi ricordo anche dei capelli tinti oro raccolti in una crocchia stile impero. E mi ricordo di quella voce femminile roca, che non so perché mi faceva venire in mente un incrocio tra Giancarlo Giannini e Jean Gabin, non molto lusinghiero per una donna. Ora che ci penso, l'esaminatrice sembrava un travestito, ma senza quelle poppe stratosferiche che ho sempre invidiato a quelle gentili signore. Non era una persona sgradevole e l'esame stava andando piuttosto bene, mi stavo giocando la partita in modo onorevole. E poi il patatrac! Quella domanda odiosa sulla mia identità del cazzo! Più somala? Più italiana? Forse 3/4 somala e 1/4 italiana? O forse è vero tutto il contrario? No so rispondere! Non mi sono mai «frazionata» prima d'ora, e poi a scuola ho sempre odiato le frazioni, erano antipatiche e inconcludenti (almeno per la sottoscritta).

Naturalmente ho mentito. Non mi piace, ma ci sono stata costretta. L'ho guardata fissa in quegli occhi da rospo che si ritrovava e le ho detto «italiana». Poi, anche se sono del colore della notte, sono arrossita come un peperone. Mi sarei sentita un'idiota anche se avessi detto somala. Non sono un cento per cento, non lo sono mai stata e non credo che riuscirò a diventarlo ora.

Credo di essere una donna senza identità.

O meglio con più identità.

Chissà come saranno belle le mie impronte digitali! Impronte anonime, senza identità, neutre come la plastica.

Vediamo un po'. Mi sento somala quando: 1) bevo il tè con il cardamomo, i chiodi di garofano e la cannella; 2) recito le 5 preghiere quotidiane verso la Mecca; 3) mi metto il *dirah*[1]; 4) profumo la casa con l'incenso o l'*unsi*[2]; 5) vado ai matrimoni in cui gli uomini si siedono da una parte ad annoiarsi e le donne dall'altra a ballare, divertirsi, mangiare... insomma a godersi la vita; 6) mangio la banana insieme al riso, nello stesso piatto, intendo; 7) cuciniamo tutta quella carne con il riso o l'*angeelo*[3]; 8) ci vengono a trovare i parenti dal Canada, dagli Stati Uniti, dalla Gran Bretagna, dall'Olanda, dalla Svezia, dalla Germania, dagli Emirati Arabi e da una lunga lista di stati che per motivi di spazio non posso citare in questa sede, tutti parenti sradicati come noi dalla madrepatria; 9) parlo in somalo e mi inserisco con toni acutissimi in una conversazione concitata; 10) guardo il mio naso allo specchio e lo trovo perfetto; 11) soffro per amore; 12) piango la mia terra straziata dalla guerra civile; 13) faccio altre 100 cose, e chi se le ricorda tutte!

Mi sento italiana quando: 1) faccio una colazione dolce; 2) vado a visitare mostre, musei e monumenti; 3) parlo di sesso, uomini e depressioni con le amiche; 4) vedo i film di Alberto Sordi, Nino Manfredi, Vittorio Gassman, Marcello Mastroianni, Monica Vitti, Totò, Anna Magnani, Giancarlo Giannini, Ugo Tognazzi, Roberto Benigni, Massimo Troisi; 5) mangio un gelato da 1,80 euro con stracciatella, pistacchio e cocco senza panna; 6) mi ricordo a memoria tutte le parole del *5 maggio* di Alessandro Manzoni; 7) sento per radio o tv la voce di Gianni Morandi; 8) mi commuovo quando guardo

---

[1] Abito femminile somalo.
[2] Miscela di incenso e altri profumi.
[3] Focaccia.

negli occhi l'uomo che amo, lo sento parlare nel suo allegro accento meridionale e so che non ci sarà un futuro per noi; 9) inveisco come una iena per i motivi più disparati contro primo ministro, sindaco, assessore, presidente di turno; 10) gesticolo; 11) piango per i partigiani, troppo spesso dimenticati; 12) canticchio *Un anno d'amore* di Mina sotto la doccia; 13) faccio altre 100 cose, e chi se le ricorda tutte!

Un bel problema l'identità, e se l'abolissimo? E le impronte? Da abolire anche quelle! Io mi sento tutto, ma a volte non mi sento niente. Per esempio sono niente sull'autobus quando sento la frase «questi stranieri sono la rovina dell'Italia» e mi sento gli occhi della gente appiccicati addosso tipo big bubble. Oppure quando una donna somala (di solito qualche parente lontana) nota che la mia pipì fa più rumore della sua grazie ad un getto più potente. Esco dal bagno ignara del fatto che la mia pipì sia stata spiata e noto uno sguardo cattivo posato sulla mia spalla sinistra. Infine il commento velenoso «ma tu sei una *nijas*[4], c'hai ancora il *kintir*[5]. Non troverai mai marito». Inutile spiegare alla signora che l'infibulazione non ha niente a che fare con la religione e che è solo una violenza sulle donne. Ahimè, spesso sono proprio donne ottuse a portare avanti pratiche violente sulle altre donne, non capiscono minimamente che sono strumenti sessuali in una società di uomini negrieri.

Allora devo ringraziare l'Italia per il fatto di avere ancora il clitoride? E la Somalia? Non devo forse il mio rispetto per il prossimo e per l'ambiente che mi circonda alla gloriosa terra di Punt[6]?

[4] Impura.
[5] Clitoride.
[6] Così gli abitanti dell'antico Egitto chiamavano la Somalia.

Cosa sono io?

Cazzo, ho deciso! Le lesso queste fottutissime salsicce!

Chissà se influiranno sulle impronte. Forse mangiando una salsiccia passerei da impronte neutre a vere impronte digitali made in Italy, ma è questo che voglio?

L'acqua bolle, le butto dentro e guardo il loro colore cambiare. Erano rosse e ora sono di un rosa pallido, *ammazza* però quanto puzzano! Non so se riuscirò a ingoiarle, già mi manca il coraggio.

Per il grande evento prendo un piatto che mi piace molto. Ha dei ghirigori blu al lato e una farfalla sempre blu al centro. Adoro questo piatto, perché è l'ultimo rimastomi di una collezione che ha avuto vita breve e tribolata. L'ho scelto anche perché mi sarà più difficile gettarlo via. Voglio un trofeo perenne della mia impresa, il piatto in blu sarà la mia *Rapsodia in blu*.

Le salsicce hanno un aspetto terribile, ma come cazzo fanno a mangiare questa robaccia? Inoltre non sono tanto sicura di aver azzeccato la preparazione. Mi sta venendo un dubbio atroce. E se non si cucinassero? Forse vengono mangiate crude, come il caviale. Ma ormai le ho lessate e così le ingoierò.

Le metto, senza guardarle, nel piatto blu. La bellezza del piatto ha messo in luce la bruttezza di queste salsicce lessate male. Mi siedo, mi rialzo per prendere un bicchiere d'acqua, mi risiedo. Le gambe non smettono di ciondolare e il polso di tremare. Infilzo con la forchetta la salsiccia più piccola, l'avvicino al naso. AGHHHH, puzza! Chiudo gli occhi e avvicino l'immondità alla bocca. Comincio a sentire un sapore acido come vomito. Allora è questo il gusto della salsiccia, vomito? Poi qualcosa mi bagna il petto ed è allora che apro gli occhi. Con stupore noto di aver vomitato la colazione della mattina, una tazza di cereali con latte freddo e una mela. E la salsiccia? Dov'è la salsiccia? È ancora infilzata tutta intera sulla forchetta. Non ho fatto in tempo a metterla in bocca, il vomito l'ha preceduta.

Questo è un segno!

Non devo mangiare questa salsiccia.

Per la prima volta la mia testa comincia ad elaborare pensieri coscienti. «E se fosse tutto un errore?», è stato il risultato di secondi frenetici di lavorio incessante. Certo se mangio questa pseudo-salsiccia coperta da squame di vomito color canarino sarò (forse) italiana. Ma la Somalia? Che ci faccio con la Somalia, me la fotto?

E le mie impronte, cosa farei con le mie impronte?

Ho bisogno di una pausa. Appoggio la forchetta e il povero resto infilzato in un angolo, respiro profondamente e stiracchio le gambe. Abbranco il giornale che è buttato tristemente sul tavolo vicino al vomito (non ho avuto il coraggio di pulire, per un attimo voglio isolarmi) e lo sfoglio pigramente. Niente d'interessante, le solite quattro frescacce di sempre, la solita merda di sempre. I terroristi minacciano di far saltare mezzo mondo civile, il mondo civile non perde tempo e già lo fa, ragazzini che si ammazzano a Brooklyn, un tizio ricco sfondato che sventra la fidanzata e butta il fegato di lei in giardino, partiti politici che si fronteggiano per non si sa bene cosa, la soubrette di turno che si tromba il nuovo astro nascente del calcio globale-miliardario perennemente in crisi. Il solito menu ritrito con la ciliegina gusto melassa in cima alla torta: il mondo finirà tra cinquant'anni! Cavolo! Questo sì che dà da pensare!

Continuo a leggere e che vedono i miei occhi? Un trafiletto: «Comunità afroamericana in rivolta per il pestaggio da parte di poliziotti bianchi di un minorenne nero».

Sono stufa di leggere notizie così! Perché cavolo ci pestano sempre? E poi questo non mi aiuta a dimenticare le salsicce! Soprattutto non mi aiuta a dimenticare le impronte della diversità!

Mi sento una papabile al pestaggio. Sarei perfetta, nessuno alle spalle per difendermi. Un capro perfetto, la perfetta «negra» da picchiare. Strano che nessuno ci abbia pensato. Sono nera e penso che essere neri sia una sfiga assoluta. Non c'è scampo, sei già condannato ad essere oggetto di occhiatacce di traverso – nella migliore delle ipotesi – o di pestaggi, roghi, lapidazioni, stupri, crocifissioni, omicidi – nella peggiore.

E non c'è scampo nemmeno se nasci in un paese dove sono tutti dello stesso tuo colore, in quel caso forse è ancora peggio. Perché prima di tutto rischi di morire di stenti dopo atroci sofferenze e poi hai il novanta per cento di possibilità di contrarre l'Aids e i farmaci naturalmente te li puoi anche sognare. Anzi, sognarseli è forse l'unico modo di averli. Se per un caso fortuito scampi a questi due flagelli, bè stai sicuro che qualche guerra civile ti piomberà presto tra capo e collo. E se non sei soddisfatto nemmeno in questo caso, puoi sempre consolarti con qualche flagello naturale che sicuramente non mancherà di colpire il paese di tutti neri, dove tu «negro» sfigato hai deciso di andare ad abitare, stanco degli insulti dei bianchi.

Inoltre, amico, devi sapere che noi neri conviviamo con il sospetto che tutti ci giudichino dal nostro colore. In realtà è proprio così, ma ci illudiamo che non sia così! Ci accusano di avere la coda di paglia, di invocare il razzismo alla minima sciocchezza, ma vuoi sapere una cosa? Il razzismo ahimè non è una burla. Cazzo, vorrei che fosse una megaburla globale, una farsa da internet, ma la realtà è che se sei nero devi convivere con il sospetto.

Però spesso anche noi siamo troppo polemici, credo che convivere con il dubbio ci abbia fatto diventare troppo sensibili su alcuni punti. Ci incazziamo per tutto, e se provi ad insultarci bè allora accusiamo il mondo di razzismo anche se stavamo litigando per tutt'altro, come per esempio un megatamponamento di cui noi eravamo gli unici responsabili!

Ma non siamo gli unici polemici, ci sono anche: arabi, ebrei, aborigeni australiani, nativi americani, curdi e tutta la pangea riunita in sessione.

Allora che devo fare? Devo mangiarmi la salsiccia con il vomito per dimostrare di non avere la coda di paglia? Per dimostrare che sono anch'io una sorella d'Italia con tutti i crismi? Di avere impronte made in Italy a denominazione di origine controllata?

Accendo la tele. Voglio dimenticarmi le salsicce. Non ho ancora deciso cosa ne farò. Non ho ancora deciso se le mangerò. Non so cosa fare, ma sono tentata dal «peccato». Ne varrà la pena?

Faccio un po' di zapping, voglio dimenticarmi quell'odorino che mi sta corrompendo le narici. Il mio vomito ha un odore nauseante, sarà forse colpa dei cereali? La mia attenzione è calamitata dalla scena di un film che conosco bene: *Riusciranno i nostri eroi a ritrovare l'amico misteriosamente scomparso in Africa?* di Ettore Scola. È un bel film e insegna molte cose sugli italiani. La trama è avvincente: Alberto Sordi e il suo ragioniere si mettono alla ricerca del cognato del Sordi per mezza Africa. Alla fine lo ritrovano dopo essere passati per avventure di tutti i tipi. Il cognato, un Manfredi con treccioline finte rasta (molto trendy) è diventato un santone, una sorta di *pae de santo*[7] di una tribù primitiva. Man-

[7] Santone della macumba.

fredi, anche se riluttante, decide (per motivi suoi) di abbandonare la sua tribù e seguire il borghese Sordi a Roma. Ed è in quel momento del film che arrivo io con il mio zapping. Manfredi si commuove quando sente il richiamo violento della sua tribù: «Titì nun ce lascià», gridano; e lui non resiste! Mi commuovo anch'io quando lo vedo salire sul predellino della nave e tuffarsi per tornare a nuoto da quella che è ormai la sua gente. Ma mi commuovo ancora di più quando vedo la faccia di un Sordi disfatto da un sentimento strano condito di amarezza, stupore e invidia. Accenna a gettarsi dietro al cognato, ma il ragioniere giustamente lo ferma, lo richiama nei ranghi. Lui, Sordi, non ha scelta, non è libero come il cognato, lui è condannato ad essere sempre un borghese che deve ritornare nel recinto di una vita alienante. Non ha scelta. Questa scena mi distrugge, mi metto a piangere. Guardando quei due uomini mi rendo conto che io ho ancora una scelta, ho ancora me stessa. Posso ancora tuffarmi in mare come Manfredi-Titì.

Guardo le salsicce e le getto nell'immondezzaio. Ma come ho potuto solo pensare di mangiarle? Perché voglio negare me stessa, solo per far contenta una signora butterata con la voce da travestito? O far contenti i sadici che hanno introdotto l'umiliazione delle impronte? Sarei più italiana con una salsiccia nello stomaco? E sarei meno somala? O tutto il contrario?

No, sarei la stessa, lo stesso mix. E se questo dà fastidio, d'ora in poi me ne fotterò!

Il telefono squilla. È la mia amica Valentina. «Ehi», mi grida. «Ehi, hai visto la 'Gazzetta'?». «No», le rispondo. «Sei passata!». Non capisco, me lo faccio ripetere una seconda e poi una terza volta. Poi una quarta. Infine una quinta. Ho su-

35

perato il concorso. E senza segnalazioni, dopotutto! E senza code di paglia! E senza impronte digitali!

Le frazioni incominciano a piacermi. Mi guardo intorno per la prima volta in questa calda mattinata d'agosto e penso con angoscia «che lordura!».

Mi rimbocco le maniche, devo pulire la cucina dal vomito.

Laila

Laila Wadia, nata a Bombay nel 1966, anno del cavallo di fuoco secondo l'oroscopo cinese, vive a Trieste da vent'anni. I suoi genitori sono indiani di origine persiana, seguaci di Zarathustra. Sposata con un fotografo di viaggi italiano, a prima vista potresti scambiarla per siciliana o calabrese. Appena arrivata a Trieste la chiamavano *cabibba*, terrona. Al peperoncino, però, Laila preferisce il curry e la cucina indiana. Se ha nostalgia di casa infila il naso in un barattolo di spezie, mentre ai vestiti tradizionali ha dovuto rinunciare appena arrivata in Italia: una volta l'hanno presa in giro, non li ha più indossati. Perfettamente mimetizzata (fa il tifo per l'Inter), oggi Laila parla un italiano fluente. All'inizio conosceva tre parole: mascalzone, farabutto, birbante, che a Bombay una signora romana usava quando si rivolgeva al suo cane. Dopo aver vinto diversi premi letterari, ha pubblicato nel 2004 il libro di racconti *Il burattinaio e altre storie extra-italiane* (Cosmo Iannone Editore). Lavora come collaboratore esperto di lingua inglese all'Università di Trieste .

Curry di pollo

A volte vorrei essere orfana. È una cosa terribile da dire, lo so. Non sono un'ingrata, forse mi sono espressa male. Voglio un bene da matti ai miei, lo giuro. È solo che vorrei che fossero... diversi. Normali, cioè. Come i genitori di tutti gli altri ragazzi della mia classe al Liceo Petrarca. Ho sedici anni e vivo a Milano, diamine. Non posso *non* andare in discoteca, non posso *non* farmi il piercing, non posso *non* avere un ragazzo – lo fanno e ce l'hanno *tutte* le mie amiche. Sono stufa di inventarmi delle scuse per non dire la verità. I miei sono dei Flintstones indiani che pensano di vivere ancora in una capanna di fango nell'oscuro villaggio di Mirapur, nell'India centrale, con le loro due mucche e le tre capre. Invece, da più di vent'anni abitano qui nel centro di Milano. Ma per loro non è cambiato niente. Dentro di loro vivono ancora circondati dalla puzza dello sterco di vacca, dall'umidità spaventosa delle piogge monsoniche e anche, devo ammetterlo, dal profumo degli alberi di mango in fiore. Per loro una casa con l'acqua corrente, un gabinetto interno e il frigorifero sembrano non fare alcuna differenza, anzi. Quasi quasi rimpiangono il fatto di non dover più andare al pozzo a prendere l'acqua, l'abitudine di alzarsi all'alba per dare da mangiare alle galline, la fatica immane sotto il sole cocente nei campi. Nonostante la lunga permanenza in Italia, mamma si veste sempre all'indiana, sfoggiando un sari sgargiante dopo l'altro, si pettina sempre all'indiana, cucina sempre all'indiana, parla sempre indiano. Scommetto che se ci fosse un modo di russare all'indiana lo farebbe.

Mio padre, invece, in estate e in inverno indossa lo stesso maglione blu-violetto con il collo a V, troppo largo sulle braccia e troppo stretto sulla pancia prominente. Non ha più capelli da pettinare o oliare da un bel po' di tempo. Sebbene parli un italiano comprensibile, ragiona ancora come un contadino indiano.

A volte la loro ostinata nostalgia mi fa impazzire.

«Ma perché hai lasciato il tuo villaggio se era così 'figo'?», domando esasperata quando papà si spaparanza davanti alla tv nella poltrona di velluto verde un po' sgualcito e stinto, con l'impronta indelebile della sua nuca sulla testiera. Mio padre e la sua poltrona verde vivono in simbiosi e hanno finito per assomigliarsi. Papà è grande e floscio proprio come la poltrona, e giorno dopo giorno la vita sfrega via una parte di lui come lui fa con i braccioli consunti del suo amato ricettacolo. Meno male che, a parte per il naso a patata, non gli somiglio affatto. Sono più simile alla mamma: snella, alta e color miele di castagno (lo dice il mio ragazzo). Con il suo sudore di onesto lavoratore, ed il coraggio di uomo venuto in Italia con visto turistico e cinquantamila lire, ora proprietario dell'impresa di pulizie Shakti («15 dipendenti e 100 milioni di fatturato, netto netto, tutto fatto da me!»), papà pensa di lasciare il suo segno indelebile sull'Occidente. Ma non si rende conto che la sua è un'impronta che verrà lavata via non appena se ne tornerà nel suo adorato Mirapur ad ammirare le sue due mucche e le tre capre e a costruirsi una nuova capanna di fango dopo ogni monsone.

«Ma dai, non posso andare in giro con le treccine oleate, mamma!».

«Sì che puoi», risponde mia madre. La sua voce è ferma, mentre con la sua mano da giocoliera gira il pane indiano nell'olio bollente. «Ora che hai rovinato i tuoi bei capelli con questo stupido colore devi pur rimediare in qualche modo. Un po' di olio di cocco gli ridarà lucentezza».

«Ma se tutte le donne indiane si mettono l'henné in testa!».

«Tu che ne sai? Non sei mai stata in India».

«Me l'hai detto tu!».

«Appunto. L'henné. Che è una pianta indiana e fa bene. Non questa cosa che ti sei fatta fare tu. Sembra che un pavone inferocito ti abbia beccato in testa».

«Si chiamano riflessi ramati, mamma. E vanno molto di moda. Ce l'hanno tutte le mie amiche. Samantha li ha uguali uguali».

«Ah, questa sera quando vedo Samantha gliene dico due, vedrai».

«Perché, i pavoni attaccano gli esseri umani? Pensavo che fossero delle bestie mansuete. Sono così belli».

«Ma tu che ne sai? Non lo hai nemmeno mai visto un pavone dal vivo!».

È vero. Abbiamo solo un vaso cinese finto antico, pieno di piume di pavone un po' polverose, nell'atrio. Che mi ricordi, non ho visto un pavone nemmeno allo zoo di Milano. Per mia madre questa è la causa della grande tristezza del mondo occidentale: i giovani non crescono spalla a spalla con le altre

41

creature del Signore. Forse la sua passione sfrenata per gli animali deriva dal fatto che lei stessa sembra una mangusta. Ora non chiedetemi com'è fatta una mangusta, perché non ho mai visto neppure una mangusta, ma lo so che è così perché mio padre mi ha raccontato migliaia di volte delle manguste nel suo villaggio in India. Sono proprio come mia madre: scaltre e scattanti.

«Sam è la mia migliore amica. Non ti azzardare a dirle niente!».

«Amica! Che amica è una che ti convince a rovinare i tuoi bei capelli lunghi e neri! E hai ancora il coraggio di portarli tutti sciolti. Sembra che tu abbia una scopa arrugginita sulle spalle». La mamma e la teiera sbuffano all'unisono. «Ora, se non ti metti l'olio in testa, farò il curry di pollo per Samantha e questo suo amico Makku a cena stasera», minaccia.

«Marco, si chiama Marco».

«Makko?».

«Ma-R-co. È un banalissimo, comunissimo nome italiano, mamma. E poi ti prego, ti supplico, non dire che farai il curry neanche per scherzo. Ti prometto che mi metterò una bottiglia piena di olio di cocco in testa durante il weekend. Per oggi lasciami andare a scuola così!». Il mio piagnucolio raggiunge le orecchie di mio padre che sta ingurgitando dieci litri di tè speziato e un quintale di pane indiano con una serie di verdure asfissiate dall'olio, dalla curcuma e dai semi di senape.

«Anandita!», mio padre alterna un ruggito con una serie di rutti piccanti. «Vieni qui! Fatti vedere!».

Striscio dalla cucina in salotto e prendo il mio posto a tavola. Mi verso un po' di crusca e latte in una scodella e aggiungo dello zucchero, senza guardarlo.

«Bè? Che succede? Che è 'sta storia di non voler portare l'olio nei capelli? Mia madre ha portato l'olio di cocco nei capelli tutta la vita e quando, pace all'anima sua, è venuta a mancare alla venerabile età di settant'anni li aveva ancora lunghi, lisci e corvini».

«Lo so, lo so», sospiro. Ho sentito la storia della nonna Rupa almeno un milione di volte. «E poi se hai sentito tutto perché me lo domandi? Lo sai già, no?».

Mio padre cambia discorso e si scola un altro mezzo litro di tè con la grazia di un cinghiale.

«Perché mangi queste schifezze?», mi domanda, tirando a sé la mia scodella e facendo una faccia disgustata come se l'avesse vista piena di vermi.

Me la riprendo e gli rispondo seccata: «Nessuno ti sta dicendo di mangiarlo, e poi se proprio vuoi sapere perché lo mangio, lo mangio perché fa bene».

«Questo sterco di coniglio fa bene? Ti credo che vai in giro con questa testa mezza rossa e mezza nera come una zebra che ha preso un'insolazione! Non puoi che avere la testa piena di segatura se mangi solo questa roba qua! Non so dove trovi l'energia per studiare. Un po' di buone verdure con qualche fetta di pane indiano fritto – ecco cosa ci vuole per affrontare bene la giornata. E guarda come ti pavoneggi con questi pantaloni a zampa d'elefante. Li portavo io trent'anni fa quando sono venuto in Italia, ma me ne vergognavo già allora. Sembri contenta di andare in giro come il tuo povero padre che è venuto a cercare fortuna in Occidente con una valigia di cartone in mano!».

Non gli rispondo. Non vale la pena sprecare fiato. Tanto so come andrà a finire: mi dovrò sorbire la storia di come lui ha fatto i soldi dal niente, di come devo essere grata di avere un padre che ha messo su un'impresa di pulizie che fa addirittura i lavori nei Ministeri – non era mai successo prima, non si sono mai fidati di una ditta gestita da un extracomunitario. Mio padre ce l'aveva fatta. Da Mirapur a Milano, una lunga strada in salita. E io dovevo prenderne esempio, bla, bla, bla. Il tutto punteggiato da lunghi silenzi durante i quali si è grattato le orecchie, massaggiato la pancia e i piedi, ha fatto versi da pifferaio stonato per liberarsi dalle verdure che gli si sono infilate tra i denti.

E alla fine, la solita minaccia: «Ah, è ora che cominci sul serio ad informarmi con mio fratello per trovarti un buon marito indiano dal nostro villaggio. Alla tua età tutte le donne di Mirapur sono già maritate. Mia madre, pace all'anima sua, aveva già dato alla luce tre figli alla tua età».

Comunque oggi, invece di chiedergli perché ha lasciato il suo villaggio incantevole dove i campi di grano cantavano nel vento e gli alberi di cocco danzavano nella pioggia, per questo schifo di città con le strade pavimentate e le case fatte di mattoni, solo per pulire i cessi della Pubblica Amministrazione, me ne starò zitta, buona buona. Non ribadirò il fatto che sono nata e cresciuta in Italia, che in Italia nessuno si sogna di far sposare una figlia di sedici anni, e che non voglio sposarmi con un mungitore di vacca o con il campione degli arrampicatori di cocco di Mirapur. Mi sposerò solo con Marco, il mio bel ragazzo dagli occhi di zaffiro e i capelli di Brad Pitt. Non miagolerò che non voglio mettermi il vestito indiano come fa la mamma. (A Marco piace la minigonna.) Che non voglio mettermi il puntino sulla fronte come fa la mamma. (Marco dice che ho una pelle vellutata come un camoscio.) Che non voglio portare i sandali infradito. (Marco adora i tacchi alti.) Anche se quest'anno gli infradito vanno di moda, addosso a me non stanno bene come alle mie amiche. Quest'estate c'era un tale sfoggio di tuniche e pantaloni indiani, borse di iuta con foto di Bollywood, foulard di chiffon ricamati con le perline – pareva che tutti volessero essere indiani. Io, però, no.

Comunque, oggi non farò niente che possa dare fastidio ai miei genitori, perché questa è una giornata troppo speciale. Ho invitato Marco a cena (e Samantha per fare da copertura). Marco è il mio ragazzo da 45 giorni, 3 ore e 12 minuti, ma i miei non lo sanno. Non sanno neanche che ho un piercing all'ombelico, che quando dico che vado a studiare da Samantha la domenica pomeriggio in verità andiamo in discoteca, che butto via il sacchetto con il pane indiano farcito di verdure strangolate nell'olio e nelle spezie che la mamma mi fa portare a scuola per merenda. Le cose che non sanno non possono fargli male. Le cose che sanno fanno andare in escandescenza mio padre e puntualmente introducono il suo mantra: «Ah, è ora che cominci sul serio ad informarmi con mio fratello per trovarti un buon marito indiano dal nostro villaggio. Alla tua età tutte le donne di Mirapur sono già maritate. Mia madre, pace all'anima sua, aveva già dato alla luce tre figli alla tua età».

Ma stasera viene Marco. Oh Dio, quanto sono nervosa per questa cena! Io non sono mai stata a casa sua e lui non è mai stato a casa mia. Ci siamo sempre incontrati o a scuola (lui è un anno più grande) o a casa di Samantha. Ho beccato sua madre al telefono qualche volta ed è sempre stata gentile. «Sì, cara. Ti passo subito Marco». Ha la voce di una che si fascia il collo con un foulard di Trussardi. Quando gliel'ho detto, Marco ha confessato che se i suoi sapessero che ha una ragazza extracomunitaria diventerebbero neri dalla rabbia. Votano Lega e pensano che Bossi sia fin troppo «tollerante». Ho colto la palla al volo e ho detto che anche i miei non farebbero salti di gioia se sapessero che la loro figlia ha una relazione con uno di qui, e che non votano affatto, anche se mio padre ha la tessera della CGIL.

Mamma ci raggiunge a tavola con due pacchetti (uno per me e uno per papà) di pane indiano farcito con verdure defunte avvolte in carta stagnola che riesce a tamponare la fuoriuscita d'olio per dieci minuti circa.

«Allora faccio *pakora* di spinaci e poi un bel curry di pollo stasera per Samantha e Makku», dice, sciogliendo e rifacendo la sua lunga treccia nera.

La guardo seccata.

«Ah, no, non Makku, Makko», si autocorregge.

Vedendo i miei occhi mutarsi in pozzi di petrolio la mamma si mette a ridere. «Scherzo! Scherzo! Farò le penne al pomodoro, come d'accordo». Mia madre ride come un ruscello che salta di roccia in roccia.

Tiro un sospiro di sollievo.

«Ma a Samantha piacciono tanto i miei *pakora* con gli spinaci», aggiunge lei.

Non so se sta ancora scherzando ma è tardi e devo andare a scuola. Bacio prima lei e poi mio padre. «Ti prego, mamma, mi hai promesso che non farai il curry o altre cose indiane. E ti prego di sforzarti di parlare in un italiano corretto. A che cosa ti è servito il corso che hai fatto all'Università Popolare? Sai, Marco non è mai stato in una casa indiana prima».

«Mai stato in una casa indiana prima?». Mio padre sgrana gli occhi come se fosse la cosa più innaturale e blasfema di questo mondo. «Povero ragazzo. Proprio per questo dovresti far fare a tua madre il suo strepitoso curry di pollo. Questo Marco ne andrebbe matto. Tua madre segue la ricetta che usava mia madre, pace alla buon'anima sua. E sappi che mia madre sapeva fare il miglior curry di pollo di tutto il distretto di Mirapur».

Incrocio le dita e spero che non riesca a far cambiare menu a mia madre durante la mia assenza. Già sono nervosissima pensando alla reazione che avrà Marco quando vedrà mia madre vestita da indiana, e la sentirà parlare un italiano stentato. Sono tutta un fremito all'idea che mio padre possa cominciare uno dei suoi monologhi sulla bellezza dei villaggi indiani senza fognature e acqua potabile e sulla decadenza della vita occidentale malgrado i suoi bidet e la sua vasta scelta di carta igienica profumata. Sono tre giorni che non dormo pensando se ho fatto bene o male ad invitarlo a cena. Veramente è stato lui ad insistere che lo facessi. «Ora che stiamo insieme da 45 giorni forse è meglio che venga a casa tua. Se i tuoi mi conoscono forse non ti faranno tante storie per uscire la sera».

Non ho avuto il coraggio di dirgli che forse sarebbe stato proprio il contrario, però gli ho fatto giurare di non fare trapelare niente della nostra relazione. L'avrei presentato come un mio compagno di classe e come il ragazzo di Samantha.

Ore otto. La stufa è accesa e fa caldo ma ho le mani ghiacciate. Mamma pure è nervosa. Non abbiamo quasi mai ospiti e non ha mai cucinato la pasta per degli italiani prima d'oggi. È una cuoca strepitosa e la sa fare bene la pasta, ma da come aggiusta e riaggiusta il sale della salsa e il drappo del suo sari arancione capisco che è agitata almeno quanto me. Anche papà è agitato ma non lo dà a vedere. Sfoglia il giornale facendo un gran rumore, tradendo il fatto che non lo legge per niente. Non che lo legga da cima a fondo gli altri giorni. Lo compera solo per vedere se ci sono bandi di gara per imprese di

pulizie. Ora sono sicura che non riesce a mettere a fuoco neanche le tette di Megan Gale che ricoprono un'intera pagina. Si
liscia la calotta pelata di continuo e molto probabilmente sta
ripassando i discorsi dotti che intende impartire alla gioventù
viziata d'Occidente. Sta pensando se cominciare col raccon-
targli la sua storia d'immigrato con una valigia di cartone in
mano e la successiva ascesa da domestico tuttofare a impren-
ditore o se iniziare il suo monologo con un'arringa sulla bella,
sana vita contadina indiana priva di vizi e ozi.

Ore otto e cinque. Sono qui! Corro ad aprire la porta e in-
ciampo.

«Vedi cosa succede se ti metti quei trampoli ai piedi», mormora papà da dietro il «Corriere della Sera». «A Mirapur tutte le donne vanno in giro a piedi nudi, con cavigliere tintinnanti in puro argento. Quando incedono con passo leggero e
sensuale sembra di udire una melodia celeste. Qui invece vi
mettete un carrarmato sotto i piedi».

«Non cominciare, ti prego», dico tra me e me.

Sam nota la mia espressione tirata e mi dice di rilassarmi.
Marco mi stringe la mano per dire che è tutto ok. Preme il
suo dito mignolo forte contro il mio – è il nostro bacio se-
greto.

Per un quarto d'ora va tutto liscio. La prima pagina del
«Corriere», mio padre e la meteorologia tengono banco. Per
fortuna fa molto più freddo del solito e si riesce a parlare di
correnti artiche e venti dell'est per un bel po', argomenti che
non conoscono colore o razza o estrazione sociale.

Poi, cade la prima tegola.

«Dimmi, Marco, tuo padre cosa fa? Il tuo lavora in banca,
vero Samantha?».

«Mio babbo lavora come muratore, Signor Kumar», risponde Marco.

«Muratore????».

Mamma, provvidenziale, entra con un vassoio fumante di penne al pomodoro.

«Magiare pronto. Venire. Veni Makko, tu sedi qui. Samantha vicino suo Pappa». Le perdono tutto.

Ci serviamo e Marco, pensando di far bene, fa scivolare il discorso sulla bontà della pastasciutta e del suo «appeal» internazionale.

Le sirene si accendono nella mia testa, ma stranamente papà non gli risponde per le rime. Non è abituato alla pasta e la masticazione di questo cibo non familiare sembra richiedere tutte le sue energie, fisiche e mentali. Poi deglutisce il primo boccone di grano duro come un pellicano farebbe con una rana salterellante, si schiarisce la gola e domanda: «E quanto guadagna?».

Faccio un sospiro profondo affinché non mi scoppi la testa prima di far cadere appositamente la forchetta a terra.

«Anche Anandita non è abituata a mangiare queste cose e con queste forchette», dice mio padre annuendo per convincere se stesso. «A noi non piace questa roba, a noi piace il curry. E mangiare con le mani. Ma Anandita ha detto che a te non piace il curry, Marco».

Voglio morire.

Marco si mimetizza con la pasta. «No, no, mi piace il curry, Signor Kumar».

«Vedi!», mio padre sbuffa. «Anandita, cosa ti avevo detto?».

«Non lo sapevo», rispondo sottovoce.

«Dove hai mangiato il curry, Marco? Scommetto che in vita tua non hai mangiato un curry così buono come quello che fa mia moglie».

49

«Ne sono sicuro Signor Kumar. L'ho mangiato sulla pizza una volta: pizza con funghi, panna e curry».

Mio padre fa un rumore a metà strada tra un conato di vomito e un singhiozzo. Ci giriamo verso di lui preoccupati.

Il mio povero ragazzo, ignaro del *rigor mortis* che ha provocato in mio padre, continua imperterrito: «E una volta abbiamo preso un pacchetto di riso ai gamberetti e curry. Lo ha fatto la mamma una sera. Era proprio buono. Basta aggiungere un cucchiaio di parmigiano e una noce di burro».

Ora che mio padre sa che il padre di Marco fa il muratore e che mangia il curry sulla pizza non c'è niente al mondo che potrà rivalutarlo ai suoi occhi. È scaduto di brutto, proprio come la sua bustina di risotto ai gamberetti.

«Era meglio fare il curry, no?». Mio padre si gira verso Samantha per trovare un po' di solidarietà vera. A Sam il curry di mia madre piace davvero. A dire la verità a Sam piace tutto, basta trovarlo pronto. A casa sua non c'è mai niente di pronto, e otto volte su dieci non trova nemmeno i suoi genitori – passano più tempo in giro per i bar che a casa.

Mio padre batte le mani come una foca ammaestrata. «Moglie! Moglie!», urla infervorato. «Vedi se c'è un po' di curry di pollo rimasto da ieri. Meglio il curry avanzato che questi tubi di gomma qui».

Dio aiutami. Non so se sopravviverò a questa cena.

Mia madre alza le braccia, sembra sconsolatissima. «Niente. Finito curry. Solo pasta pomodoro».

Mia madre è un angelo. Le farò un monumento. Le porterò dei fiori ogni giorno per il resto della sua vita. Mi metterò l'olio di cocco in testa ogni santo giorno (o almeno di notte).

Hai presente la faccia di uno che sta ascoltando l'estrazione dei biglietti della lotteria il giorno della befana? Con quel bel montepremi multi-miliardario? La faccia di uno che azzecca tutti i numeri fino a quella maledetta ultima pallina rossa impazzita? Bè, quella era la faccia di mio padre.

«Non è possibile, non è possibile». La delusione s'impossessa delle sue corde vocali.

«Ci inviterete un altro giorno per il curry, Signor Kumar», dice Samantha, sorridendo.

«Per forza, per forza», risponde papà. «Devo far provare a questo giovanotto la sublimazione dei sensi. Devo fargli dimenticare gli orrori della pizza al curry o del risotto al curry in busta. Sai, mia moglie segue la stessa ricetta che usava mia madre, pace all'anima sua. Faceva il miglior curry di pollo dell'intero distretto di Mirapur. Prima macinava tre tipi di peperoncini con le altre spezie – senape, coriandolo, cardamomo, papavero, cannella, chiodi di garofano –, poi li friggeva con la cipolla e l'aglio e infine ci aggiungeva un pomodoro, il latte di cocco e il pollo. Ora volete che vi racconti un po' della bella vita che si fa nella campagna indiana? Niente smog, niente povertà e quelle stupide cose che vi fanno vedere in tv con gente ammalata e moribonda. Noi a Mirapur abbiamo solo vacche grasse e capre felici e campi di grano che ridono nel sole...».

«Anandita passa Pappa vassoio con peperoncino e spezie per mettere su pasta. Così lui brucia bocca e sta zitto poco poco», dice la mamma.

Ci mettiamo tutti a ridere.

«Vedi, vedi Marco», papà dice con espressione bonaria. «Meno male che tu hai scelto una ragazza italiana e non una peperina indiana come quelle di questa casa. Vedi cosa mi tocca sopportare ogni giorno per un piatto di curry di pollo?».

Marco sorride imbarazzato e Sam mi strizza l'occhio. Marco mi fa cenno di passargli il peperoncino e le spezie. Mentre allunga la mano per prendere il vassoio, preme for-

te il suo mignolo contro il mio. Per fortuna papà ha cominciato a raccontare la storia della sua vita e mamma si sta ag-
giustando il drappo del suo sari. I miei genitori non si ac-
corgono di niente.

Karnevale

«Mitzi, è già qui!». La voce quasi mi muore nella gola.

«La Kousin? Com'è, com'è?». Mitzi, la mia Migliore amica, scoppia di curiosità e devo allontanare la cornetta dall'orecchio per conservarmi l'udito almeno per quando avrò vent'anni.

«Come te la immagini una ballerina classica indiana? Bè, è così».

«Come quelle nei film che tuo Pater prende a noleggio?».

«Esattamente. Solo più giovane e più grassa».

«E la tua Mutti insiste ancora che la porti in giro?».

Mi giro a osservare la mia risposta.

La Mutti, con l'espressione di una che ha appena avuto una visione della Madonna di Medjugorje, sta ammirando l'acconciatura da ballerina classica Bharat Natyam della mia cugina quattordicenne, appena arrivata dall'India. La treccia della Kousin è nera e lucente – sembra un Kobra disteso al sole – e la Mutti sta disperatamente cercando di ricamarci dentro un tralcio di fiori finti lungo mezzo metro. Ogni volta che comincia a cantare vittoria, terrorizzate dal Kobra disteso al sole, le roselline di plastica bianca s'impennano e saltano via.

«Rima! Muoviti!», brontola la Mutti. «Ho bisogno di una mano!». Si rigira verso la Kousin e comincia a borbottare che sono sempre al telefono, e quando non sono sull'apparecchio fisso, sono inchiodata al cellulare a mandare messaggini a Mitzi e Fritzi e Britzi. «Che avranno mai da dirsi? Si sono visti a scuola soltanto un paio d'ore fa!».

La Kousin non sa che risponderle. Ci conosciamo da pochissimo e non mi ha ancora inquadrata. Chissà come mi vede: la cugina italiana Quasi Diciottenne in jeans molto fashion, capigliatura alla Alessia Merz.

«Meno male che sei arrivata tu, Nandini. Forse le potrai insegnare qualche passo di danza classica. Ho sentito che canti anche molto bene». La Mutti unge la Kousin di complimenti.

La Kousin, Nandini appunto, abbassa la kapa e arrossisce, come si addice ad una brava bimba indiana che riceve un complimento.

«Allora? Ti muovi o no? Le roselline mi si stanno appassendo tra le mani!», muggisce la Mutti.

Mitzi intuisce che è meglio agganciare.

«Ci messaggiamo dopo. Ohi, però non darmi buca per martedì!», aggiunge prima di chiudere.

Kaschi il mondo non le darò buca martedì. È la mia grande OKasione per fare colpo su Ale – quello della 5ªA. Mitzi dice che gli piaccio.

«Eccomi», mi trascino verso le due sedie di plexiglas nel soggiorno che contengono la figura minuta e ossuta della Mutti vestita di un completo d'acrilico blu scuro (lei adora tutto quello che è sintetico perché non si sciupa) e la forma giunonica della neo-arrivata ballerina di danza classica, agghindata come un albero di Natale con le luci ad intermittenza.

«Mutti, quanto si ferma da noi?», chiedo. Al contempo peso uno dei lunghi orecchini indiani della Kousin. Sono leg-

geri, devono essere di cartapesta e servono solo per il palco-
scenico così luccicanti come sono.

La Mutti mi lancia uno sguardo inviperito.

«Ti ho detto che devi parlare in hindi ora che è qui la tua
cugina Nandini», sibila in indiano.

Faccio una smorfia alla Jim Carrey e, come per istinto, la
treccia-Kobra ha uno scatto di coda. Ho un sussulto. Porca
di una T. Oltre ad essere bambina prodigio – ballerina di fama internazionale all'età di quattordici anni e promettente
cantante di musica classica indiana – questa ha anche gli occhi dietro alla testa!

«Allora lo spettacolo è fissato per martedì», annuncia la
Mutti. È stata lei ad organizzare il grande evento.

Visto che la Kousin era stata invitata dall'Ambasciata Indiana a Roma a partecipare al Festival dell'India, la Mutti ha pensato bene di approfittare dell'occasione per farsi bella agli
occhi di quelli dell'ICGEB, dove lavora mio Pater, proponendo
una serata di ballo e canto indiano della nipotina fenomeno.

Mio Pater è un Mito. Un Kranione. Lavora all'Istituto di
Biotecnologie di Trieste. Genetica molecolare e tutta quella
roba UFO che ci salverà.

I miei, nativi di Bangalore, nell'India centro-meridionale,
sono in giro per il mondo da quasi trent'anni. Prima di venire
in Italia hanno vissuto negli States e poi a Düsseldorf, dove
sono nata e vissuta per quattro anni. Che sfiga non essere nata
e cresciuta a Los Angeles. Avrei potuto incontrare Johnny
Depp e nessuno mi avrebbe fatto domande del kaTzo tipo:

«Come mai parli Kosì bene l'italiano?».

Perché? È un privilegio riservato ai bianchi esprimersi con
scioltezza nell'idioma di Dante? Vorrei sempre rispondere a
questi senzaKranio.

«Ma ti manca il tuo paese?».

Quale paese? Sono cresciuta qui cantando tutte quelle kaTzate della Kristina D'Avena. E quando vado con i genitrix a trovare le tigri di Mompracem mi devo imbottire di antimalarico e anticolerico fino a farmi scoppiare, perché non ho degli antikorpi naturali.

«Martedì!», squittisco. «Come martedì, non hai detto che era fissato per lunedì sera?».

«Hanno cambiato giorno. Tanto, un giorno vale l'altro», risponde la Mutti stringendo le labbra per tenere una mezza dozzina di forcine per fissare il tralcio di fiori.

«Ma martedì è l'ultimo di Carnevale!», le ricordo.

«Embè?», commenta la Mutti, posandomi il Kobra tra le mani e indicando di tenerlo fermo, teso come una corda.

La Kousin sobbalza e cerca di allentare la mia presa sulla bestia.

«Stai tirando troppo forte, cugina Rima», miagola.

La Mutti non perde occasione: «Ecco, manco una mano sai dare!».

«Ma ti avevo detto che dovevo andare con Mitzi al ballo in maschera in piazza a Muggia», protesto.

«Ah!», sbuffa la Mutti. «Se dovessi ricordarmi tutti gli impegni di mia figlia...». Parla come se non ci fossi. «Per vederla di questi tempi bisogna mandarle un messaggio e prendere appuntamento. Mitzi, Fritzi, Britzi – sono loro la sua famiglia ormai. Sapessi questa Mitzi – è una sua compagna di classe al Linguistico. Era una ragazzina così carina. Viene dal Giappone. Suo padre lavora al Centro di Fisica, perciò lo conosce anche mio marito. Bè, questa stupidina non si è fatta fare un intervento agli occhi!».

«Non vedeva bene?», domanda la Kousin.

«Macchè! Non li voleva a mandorla. Si vergognava! Proprio come questa signorina davanti a te che non sa niente degli usi e dei costumi del suo paese», spiega la Mutti.

«Che c'è per cena, Ma?», cerco di cambiare discorso. «Ho un leggero languorino. Dov'è Ambrogio? Posso scongelare una pizza?».

La Mutti annuncia secca che sono appena le 19:30 e dobbiamo attendere il Pater. Poi mangeremo una squisita cena che Nandini l'ha aiutata a preparare mentre io ero a spasso con Mitzi, Fritzi e Britzi.

«Tua zia ci ha mandato delle spezie freschissime da Bangalore e abbiamo fatto frittelle di patate, riso *biriyani*, *palak paneer* e *dal* di lenticchie», sbava la Mutti.

Le rammento che sono due settimane che sto seguendo la dieta dissociata (devo fare colpo nel mio costume di Karnevale!) e che non posso mangiare tutti quei grassi.

La Mutti mi elargisce uno sguardo commiseratorio.

«Crede di essere troppo grassa», annuncia alla Kousin.

«Ma se sei uno scricciolo, cugina Rima», commenta la Kousin. «Sei fortunata ad aver preso da tua madre. Se prendevi dalla nostra parte, da quella di tuo padre intendo, allora sì che erano guai».

«Sentito?», dice la Mutti. È felice d'aver trovato un'alleata, e finalmente rinuncia ad infilare i fiori di plastica nella treccia della Kousin.

«Perché non usi i fili argentati di Natale?», annuncio con un colpo di genio.

La Kousin non sa di cosa stia parlando ma è contenta di riappropriarsi della sua martoriata chioma.

«Natale», sbuffa la Mutti. «Solo Natale e Capodanno e Carnevale e feste ha in testa. Mai la voglia di unirsi ad un bel gruppo di canto indiano – *bhajan*, *kirtan*. Non va nemmeno a fare yoga».

La guardo sbigottita. «Perché tu ci vai?», vorrei chiederle, ma so che lo dice solo per pavoneggiarsi davanti alla Kousin. Per non tradire il fatto che sono anni che non fa assolutamente NiENte di indiano a parte guardare qualche video e cacciare nel microonde un piatto nazional-popolare precotto trovato alla Super COOP.

La Kousin condivide la stanza con me, dormendo sul divano letto.

«Cosa stai leggendo?», domanda.

«Enrico Brizzi».

«Com'è?».

Come si dice «fighissimo» in hindi? Bè, lasciamo perdere.

«Bello. *Jack Frusciante è uscito dal gruppo*. Konosci?».

Fa cenno di no. «Dov'è andato?», domanda.

«Ki?».

«Quello che è uscito dal gruppo».

Niente. Non importa. Non puoi Konnettere con una che a Kuattordici anni è andata in brodo di giuggiole quando il Pater ha messo su il cd di Pavarotti che canta *'O Sole Mio*.

«Ti piace l'India?», indaga la Kousin.

«Uh uh». No comment.

«La prossima volta che vieni ti presento le mie amiche».

Vabbè. Prendo il prossimo volo.

«Se vuoi parlo con tua madre per farti venire con me adesso quando torno».

KaTzo. Ma questa riesce anche a leggere nei pensieri sarcastici!

58

«Scusa, ho una telefonata in arrivo». Pigio una suoneria a caso e fingo di parlare con Mitzi.

Quando sembra essersi addormentata, spengo il telefonino.

«Di cosa parlavi così a lungo con la tua amica, cugina Rima?».

Porca di una V! È ancora sveglia.

Saranno kaTzi miei?

«Di te», sfotto.

«Davvero?». Si alza su un braccio. «Cosa hai detto?».

«Parlavo di quanto sono felice che sei venuta e muoio dalla voglia di venire al tuo spettacolo martedì e non vedo l'ora di portarti in giro per la città con me».

Questa si Kommuove! La sento tirare su col naso.

«Sei tanto carina con me, cugina Rima», mormora.

Come faccio a portare in giro una Così?

«Pa, ti prego. Avevi detto anche tu che potevo andare alla festa di Martedì Grasso», piagnucolo.

Stiamo facendo colazione e mio Pater si gira a guardare la Mutti.

«Chiedi a tua madre», risponde.

«Mi sono comperata già il vestito da Minnie!».

«Prima vieni allo spettacolo al Centro, poi portiamo te e Nandini alla festa. D'accordo?», baratta la Mutti.

«Ma non le piacerà».

«Perché no?».

«Perché non è quel tipo di ballo che fa lei».

«È sempre una ragazzina».

Appunto. Una ragazzina di Kuattordici anni che rovinerà per sempre la piazza alla sua cugina di Quasi Diciotto. Ma perché i genitori non riescono a Kapire certe cose?

«Ora che fai? Perché non mangi i cornflakes?», dice la Mutti.

Devo lanciare un SMS SOS a Mitzi.

– Allarme rosso –, scrivo.

– Non puoi venire??? Ale viene sicuramente! –, risponde la mia amica.

– A certe Kondizioni –, digito.

– Nema droga, nema alcol, nema boys –, intuisce Mitzi. – Tranquillizzo io la tua Mutti –, aggiunge.

(La mia amica non sa che un suo tentativo di tranquillizzare la mia genitrix è l'equivalente di condire una ferita con l'aceto.)

– Deve venire con noi –, esplicito.

– Ki? Il fenomeno?

– Yes. Kzzo.

– Vieni un po' prima a skola? –, chiede Mitzi.

– Non puedo. Devo trovare dei gelsomini freschi per il Kobra.

– Ke?

– Ti spiego dopo.

«Non può venire senza costume», dico alla Mutti.

«Ti do i soldi. Trovane uno tu», risponde la genitrix.

Kribbio. Io me lo sono dovuto comperare con i soldi della paghetta. Per la Kousin non ci sono limiti di spese. Ke mondo infame!

«Mancano solo due giorni. Saranno tutti venduti ormai», spiego.

«Ho capito. Non vuoi darmi una mano. Se te lo chiedeva la madre di Mitzi o Fritzi o Britzi ci andavi correndo».

Grr.

Siamo pronti a partire per il Gran Galà della Kousin.

«Non puoi venire ad uno spettacolo indiano vestita da Minnie», obietta la Mutti.

«Ma devo andare subito dopo al ballo in maschera, Mutti!».

«Portati il costume dietro. Tu e Nandini vi cambierete in macchina».

La Mutti ha trovato un costume per la Kousin: una tuta da giraffa. Tuttavia Mitzi ha detto che si occuperà lei di riempire la Kousin di vin brûlé, così la molliamo in un angolo e facciamo i kaTzi nostri.

La brava bambina vestita di un completino da vomito che la Mutti l'ha costretta ad indossare con tanto di ricatto slogheggiante («No Punjabi, no Party») si siede tra la sua Mutti avvolta in un sari viola che puzza di naftalina e il suo Pater nel consueto completo grigio, reso floscio e raggrinzito da una lunga giornata lavorativa, e che sa di formaldeide e di sughi della mensa.

La Kousin, nel suo costume da danza rosso Kalì, cinque chili di campanellini tintinnanti alle caviglie, una criniera di gioielli di carta pesta in testa, gli occhi dipinti come Mina anni '60 e una grossa treccia nera tempestata di gelsomini veri, è sul palco.

La sala ricreazione del Centro di Biotecnologie è gremita all'inverosimile di visi di varie sfumature del marrone – sembra un campionario di vernici. L'aria è satura di nostalgia.

La Mutti si gongola.

Il Pater cela uno sbadiglio dietro alla mano.

Kontrollo il mio orologio. Sono già le 20:20. Ci vorrà almeno mezz'ora per arrivare da qui a Muggia. Mitzi mi aspetta per le 21:00. Non riesco nemmeno a mandare un messaggino.

61

Fine esibizione. L'applauso è scrosciante. La Kousin è raggiante. La Mutti gongola sempre D+.

«Bis, bis», urla qualche Kretin.

«Bis, bis», echeggia la Mutti, dandomi una gomitata di sollecito.

«Pa, devo andare», sussurro urgentemente. «Altrimenti farò tardissimo».

Il Pater mi copre la mano con la sua. Pazienta un po', vorrebbe dire.

«Urla, Rima. Chiedi il bis. Non vuoi che Nandini balli ancora?».

«Mutti, devo andare».

«Ora, ora. Appena finisce il bis ce ne andiamo tutti quanti».

La Mutti non sa niente del piano che abbiamo escogitato io e quella Diabolik di Mitzi.

Dopo che la Mutti aveva trovato il costume da giraffa per la Kousin, mi ero quasi arresa. Ma Mitzi è venuta a casa mia per incontrare il Fenomeno e si è fatta scappare una considerazione provvidenziale:

«Chissà che maiale avrà indossato questo costume prima. Quelli del negozio mica si scomodano a portarlo in lavanderia tra un noleggio e l'altro».

Ho tradotto il Mitzi-pensiero per la Kousin che si è trasformata in Shrek.

«Cosa! Maiale?», ha urlato.

Forse ho tradotto male. Che kaTzo ne so. So solo che questa ha capito che l'hanno usato per pulire il kulo di un porco o che la fodera acrilica era vera pelle di suino. Boh. Comunque ha detto che quel costume non l'avrebbe indossato mai e poi mai. Lei (noi, cioè) discendevamo da un'antica stirpe di bramini di alto rango – eravamo vegetariani stretti dalla notte dei tempi. La Kousin era ignara del fatto che la Mutti avesse cacciato in fondo al freezer tutte le cosce di pollo e che tutto 'sto gran brucare di verdure a casa mia sarebbe durato solo fino alla sua partenza.

Bis, tris... sono andati avanti ancora mezz'ora. Ero disperata. Poi, dei Nostalgici del piffero hanno fermato la Star per farle mille domande. Una, in un sari beige, che sembrava un'enorme Happy-Piadina, le ha chiesto perfino l'autografo. Per fortuna la Diva si è buttata un mantello nero sulle spalle e siamo uscite dalla sala senza che si cambiasse o si struccasse.

Lungo il tragitto in macchina divenni Minnie e la Kousin ovviamente rifiutò di tramutarsi in giraffa.

«Se non vuole mettersi il costume, verrà come sta», disse la Mutti piena di comprensione e non rimpiangendo per niente le cinquanta karte andate in fumo. Se l'avessi fatto io mi sarei beccata tanti di quegli sganascioni!

«Ma come? Conciata Kosì?», chiesi, esterrefatta.

«Se non la porti, non ci vai nemmeno tu». La Mutti emise la sentenza Kapitale.

Sapevo che appellarmi alla corte del Pater non sarebbe servito a niente e lanciai un SMS apocalittico a Mitzi. Erano tutti già lì, anche Ale. Per un attimo ho pensato di rinunciare a tutto. Meglio non andare che portarmi dietro una così e fare una figura di M.

«Ciao».

«Ciao».

«Vi presento la Kousin».

«Ciao, sono Alessandro».

KaTzo. Da quando era diventato Alessandro? Perfino per il Preside era Ale!

«Non parla l'italiano», spiegai.

«Che figo! Do you speak English?», chiese Ale.

«Yes, of course», rispose la Kousin come se fosse la nipote della Regina Elisabetta.

«Dai, andiamo a sballarci», Mitzi mi urlò nell'orecchio, tirandomi per un braccio.

Dopo due bicchieroni di vin brûlé la Kousin si levò il mantello nero e si scatenò in mezzo alla piazza sulle note di Battiato.

«E gira tutt'intorno la stanza, mentre si danza, danza», si levò un coro.

«Dai, vagli vicino. Digli qualcosa», Mitzi mi spinse in avanti verso Ale che era nel cerchio di spettatori che si era formato intorno alla Kousin.

«Allora, come ti butta?», chiesi. «Bel costume. Ma sei davvero un diavoletto. Non avevi mica bisogno di travestirti».

Stava fissando la Kousin.

«Cacchio come balla bene! Fenomenale questa cugina. E che costume!», commentò Ale, rapito.

Rimasi di KaKKa. Io mi ero fatta carina per lui e questo scemo sbavava per la Kousin. Stavo per andarmene prima che mi venissero gli occhi rossi.

«Ma tu sai ballare così?». Ale mi fermò, afferrandomi la mano.

«Mi sta insegnando», borbottai.

«Sai, un giorno mi piacerebbe andare in India. Magari ci possiamo andare insieme».

KaTzo! Ma è una Dichiarazione??? Kali sia lodata. E pure Visnù e tutto il fottutissimo pantheon di dèi dalle otto braccia. Non riesco a respirare!!!

64

«Bis, bis!», urlano Franz e Simone.

«Rima, dai, chiedile di ballare ancora», mi supplicano i Friends.

«Ancora un ballo!», incita Ale.

«Bis, bis! Cugina Nandini, devi ballare ancora ti prego!». Salto, urlo, piango, batto le mani. Felice.

E gira tutt'intorno la stanza, mentre si danza, danza.

Gabriella

Gabriella Kuruvilla, nata a Milano nel 1969 sotto il segno dei Pesci, nuota in mille direzioni: è scrittrice, pittrice, architetto, giornalista professionista. Suo padre è nato in Kerala, nell'India meridionale, sua madre è di origini milanesi con un passato femminista. Il suo rapporto con l'India? Interesse, perplessità e rispetto. Nella terra di Gandhi è stata quattro volte, ma non le verrebbe mai in mente di indossare il sari. Con Milano non va meglio, secondo Gabriella se non sei sui Navigli o in Brera ti sembra di essere sempre in periferia. Vegetariana, detesta la televisione, adora la sua bici e il figlio Ruben, due anni, interista, capelli castani e occhi verdi. Dopo sei anni trascorsi nelle redazioni milanesi, ha dato retta al cuore: oggi è giornalista free lance, scrive romanzi (il primo, con lo pseudonimo di Viola Chandra, si intitola *Media chiara e noccioline*, per DeriveApprodi 2001) e dipinge quadri dai colori caldi, saturi, fatti di sabbia e tessuti, che espone in Italia e in giro per il mondo.

India

Nella tasca dei jeans ho questo biglietto. Andata e ritorno, Milano-Madras. Che almeno ci sia, un ritorno. Come sempre, voglio e non voglio. Fino all'ultimo non so cosa deciderò di fare. Vivere nel dubbio e nel rimpianto sta diventando la mia specialità. Andiamo all'aeroporto. Posso ancora prendere il primo autobus che mi riporti a casa. Ma poi passiamo il check-in, controllo bagagli e passaporti. Decolliamo, e staccandomi fisicamente dal suolo mi sento psicologicamente più leggera. Dovrei vivere a tremila metri di altezza, possibilmente senza appoggiare da nessuna parte. «Hai la testa sulle nuvole», mi dicevano da piccola. Deve essere per questo che non riesco a comunicare con il mio corpo, schiacciato sulla terra. Composto pure lui da due metà divise, da sempre. Ora, nell'altra metà, ci sto tornando. Dall'Italia all'India. Andata e Ritorno. Ritorno. Spero in un'unione. Va bene anche un matrimonio riparatore. Intanto, la prendo un po' alla lontana. Non vado esattamente dallo sposo ma faccio visita a suo fratello: non sbarco nel Kerala ma nel Tamil Nadu. Due regioni affiancate, ma ben distinte: nella prima ho mille parenti, nell'altra solo un amico. Neanche tanto amico. Ma decisamente molto italiano. L'aereo atterra. Andiamo a ritirare i bagagli.

La stessa atmosfera umida, calda, squallida e soffocante che mi aveva tolto il respiro quando ero bambina.

Ma allora ero con mio padre, non con il mio fidanzato. E in breve tempo ero stata sottratta alla città, e al suo magma caotico, per trovare riposo in una stanza d'albergo. Di lusso. Dall'architettura moderna e asettica. Di quegli alberghi che puoi essere a Bangkok o a Londra e non ti accorgi della differenza. Gli alberghi con il dono dell'ubiquità, come la cucina internazionale e la Coca-Cola. Sulla bocca di una messicana o sulle labbra truccate di una grassa americana le bolle scendono giù alla stessa maniera e gonfiano la pancia allo stesso modo. Poi l'indigena va a vendere fagioli al mercato e la yankee va a farsi la liposuzione dal chirurgo estetico.

Quell'albergo era stato solo una pausa, un breve respiro di sollievo. A cui era seguita una lunga apnea: ci aspettava l'immersione nella casa paterna, con il suo tuffo obbligato nella marea dei parenti. Dove tutto passava attraverso l'olfatto. Nasi che mi annusavano per baciarmi, invece di appoggiare le loro labbra sulle mie guance. Mentre venivo assalita da odori diversi da quelli a cui ero abituata. Troppo intensi e forti, a stordirmi. E infatti cercavo di non avvicinarmi a nulla e a nessuno, per mantenere una distanza di sicurezza che mi proteggesse dall'estraneo. Dall'irruente sconosciuto. Non so se fosse per questo, ma mio padre era esasperato. Mi comportavo come un oggetto di cristallo in un negozio di elefanti. Ma gli elefanti erano la sua patria e la sua famiglia. Il suo io. Che, forse, stavo offendendo. Non sapeva come gestirmi. E integrarmi. In quel luogo da cui era uscito, non scappato, e in cui era rientrato, portando con sé me: un pezzo del suo presente che tirava calci al suo passato. Così mi ha detto: «Con me, qui, non verrai mai più. Se vorrai ci tornerai da sola quando avrai 18 anni». Avevo in mano un foglio di via.

Quella terra, per me, per troppi anni, ha rappresentato uno spazio irraggiungibile, irreale e immaginario, quasi magico: talmente impalpabile, e inafferrabile, da sembrarmi inconsistente, e inesistente. Uno spazio da evitare con cura, da aggirare. Da non conoscere: cancellare. Uno spazio da escludere, perché da lì ero stata esclusa. Esiliata.

L'attrazione verso l'Oriente si spostava verso l'Africa e il Sud America. Andavo in Marocco e in Messico. Un'accettabile alternativa. Un escamotage.

Ma alla fine ero atterrata a Madras. A trent'anni. Con Davide, il mio fidanzato. Senza mio padre: a sua insaputa. Era un blitz, forse un boomerang. E volevo già tornare a Milano. O, perlomeno, andare in Thailandia. La figura, bianca e occidentale, dell'amico che ci aspettava all'aeroporto mi aveva leggermente rincuorata. Ero andata verso di lui. Bisogno di rifugio. Poi la lunga corsa in macchina, di notte. Dalla periferia della metropoli al centro di un paese, tra cani randagi che ululavano e bambini sporchi che correvano. Volevo dormire, dormire, dormire. Dimenticare, dimenticare, dimenticare. Svegliarmi nel letto della mia camera, e fare pipì seduta su un water immacolato. Invece mi accovacciavo su una turca. Non una delle migliori. E di notte saltavo in piedi perché un topo era passato sotto il materasso.

È mattina, usciamo. Le acque sporche, come maleodoranti e fetidi ruscelli, corrono ai bordi delle strade. Al posto dei lampioni, una sfilata di statue induiste che non so riconoscere perché non conosco. Mio padre è cattolico. Kali, Shiva e Visnù, per me, sono sempre state delle immaginette folkloristiche contenute nei portafogli dei fricchettoni italiani. Qui sono religione. Vera. Non posticcia e importata, per dare un'aura mistica a una ruvida volontà di sconvolgersi, in «santa» pace. Qui non si fuma, e non si beve. Gli alcolici sono venduti solo nei locali per turisti. Ma io turista sono, e mi sento. E lì vado a comprarmi la birra. L'amico italiano ha la pessima idea di portarci in un ristorante tipico: solo indiani, si mangia prendendo con le mani il cibo locale contenuto in grandi foglie di banano. Datemi forchetta e piatto, please. Magari anche una pizza, se non vi dispiace. In quel ristorante non ci sono più tornata. È Davide, bianco e italiano, con la sua fascinazione verso tutto ciò che è nero e indiano, ad avvicinarmi, attraverso la sua spontanea partecipazione, a quella cultura che non mi è mai appartenuta. E che da sempre è mia. È lui a mangiare qualsiasi cosa, mentre io dico «No grazie» e poi gli chiedo «Mi fai provare?». Nei miei pasti vado sul sicuro, e ordino quel che si trova in un ristorante indiano a Milano. Mentre Davide rappresenta la zona franca che mi permette di passare da un territorio all'altro senza farmi sbattere contro i confini. Attutendo i colpi. I pregiudizi e le paure. È lui che diventa amico dei commercianti cachemiri mentre io entro nei loro negozi solo per strappare la merce migliore al prezzo minore considerando la trattativa, con il coltello tra i denti, l'unico possibile canale di comunicazione. Ma sono loro che mi curano quando la febbre mi sale a quaranta, e non ho né un letto né delle medicine: ridotta allo stremo delle forze, mi sdraio sui loro tappeti e inghiotto pillole senza nome. Dopo due ore sto bene. Davide intanto chiacchiera con loro, davanti a quello che, per me, è sempre e solo stato il tavolo dei negoziati. E che lui non ha mai visto e vissuto come tale. C'è chi socializza e chi commercia, io faccio parte del secondo plotone.

Con la stessa diffidenza, oramai, mi avvicino alle loro spiagge. Immaginavo sabbia bianca e mare cristallino. Scopro che l'India non è un paradiso caraibico. Granelli marroncini e acqua fangosa. Comunque stendo il telo, mi spoglio, rimango in costume, sto per tuffarmi: e mi accorgo che ho appoggiato le mie cose proprio su uno stronzo e mentre nuoto ne ho schivato un altro. Merda! Eh sì perché, per loro, l'oceano rappresenta il nostro water, ci cagano appena fuori e appena dentro. Che carini: e prendono il sole in bagno? L'India si prende gioco dei miei desideri e dei miei entusiasmi. La mia ostilità cresce, e viene ricambiata.

Gli abitanti o non mi guardano o non smettono di guardarmi. Provocando in me lo stesso effetto: cancellando, in ogni caso, il mio corpo.

Bramini che non rispondono alle mie domande, e continuano a camminare andando oltre, fingendo di non vedermi. Mentre mi chiedo: Mi ha sentito? Esisto?

Migliaia di uomini, fermi nel piazzale degli autobus, che mi fissano ostinati, senza tregua, ridendo tra di loro. Portandomi a urlare esasperata, contro uno – contro nessuno – contro tutti, nel vuoto totale del troppo, dell'insostenibile: «Cosa vuoooooiiiiiiiiii?». Cosa volete? Cos'ho? Un urlo disperato che provoca altri sguardi e altre risate, come risposta. E spinge Davide a dirmi: «Prendiamo un risciò, ti prego andiamocene», lontani dagli affollati autobus usati dagli indiani, chiusi nella protettiva scatola su quattro ruote del turista. Facendomi così rientrare in quella parte, l'unica parte, che sentivo mia. Ma in cui non volevo calarmi, che non volevo assumermi. Che non volevo accettare, ma che mi permetteva di essere accettata, in India. Esistevo, e venivo degnata di una parvenza di rispetto, solo quando prendevano i miei soldi: in paesi, alberghi, ristoranti o negozi pensati appositamente per gli stranieri in vacanza. Per i turisti, per i dollari dei turisti. Ma io volevo essere considerata una di loro, uguale a loro. Mentre gli sbattevo in faccia la mia diversità: le mie canottiere che non coprivano le spalle, i miei pantajazz che segnavano il profilo delle natiche e delle gambe, i miei capelli ricci e sciolti non legati in una treccia, le mie sigarette fumate nei luoghi pubblici, i miei bikini indossati in spiaggia.

Volevo che tutto un popolo mi accettasse, mettesse da parte le sue tradizioni, i suoi dogmi e le sue caste. Gettasse se stesso, per accogliermi: per come ero, per come sono.

E io odiavo e amavo quel popolo, che condensava in sé molte delle difficoltà da sempre vissute, e sofferte, con mio padre. E pretendevo da loro, come da lui, che si adeguassero a me. Mentre chiudevo gli occhi davanti a una cultura millenaria. Comportandomi come se quella cultura non esistesse.

Ma avevo visto, avevo sentito, avevo letto.

Ho visto la bambina sporca, con i vestiti stracciati e i capelli arruffati, che camminava per la strada di una grande città, chiedendo l'elemosina e portando in giro un topolino legato a una corda-guinzaglio. E ho visto i commercianti che le sputavano addosso. E ho distolto lo sguardo perché mi sentivo troppo simile a lei, e temevo che tutti se ne accorgessero.

Ho visto le donne che facevano il bagno in mare tenendo addosso il sari e che, una volta uscite dall'acqua, cercavano di asciugarsi alla luce del tramonto un corpo ancora avvolto dai vestiti. E probabilmente sarebbero salite in macchina, umide, insieme ai loro uomini, asciutti. E ho mantenuto lo sguardo, per sentirmi assolutamente diversa da loro, e volevo che tutti se ne accorgessero.

Ho sentito un giovane marito dire della bambina che aveva appena avuto dalla moglie: «Purtroppo è una femmina». Purtroppo? «Purtroppo dovremo preoccuparci della dote». La nascita di una figlia è prima di tutto l'apertura di un debito. Quella stessa giovane moglie era stata costretta, il giorno prima di partorire, a cucinare per noi tutta la mattina per offrirci un pranzo a cui non avrebbe partecipato: perché, nei villaggi del Sud agricolo e povero, le donne non mangiano con gli uomini, e con le donne straniere.

Leggo, sui giornali italiani, delle guerre tra i paria, tra le caste più basse: di intoccabili che non toccano, ma uccidono, coloro che considerano più intoccabili di loro. Di interi villaggi sterminati in una guerra tra poveri, tra ultimi.

Leggo di statistiche, che riguardano l'Inghilterra: la percentuale di donne anglo-pakistane che si suicidano è altissima. Se non rispettano le regole imposte, come il marito scelto dalla famiglia, vengono rifiutate. Non sono più riconosciute come figlie: perdono i genitori, se non si adeguano alle loro richieste.

Un giorno mio padre mi portò la foto di un uomo indiano, e della sua meravigliosa villa con piscina negli Stati Uniti. Mi chiese: «Vuoi sposarlo?». Mi è sempre sembrata una splendida battuta. Per tutta risposta gli ho mostrato la foto del mio fidanzato italiano, e della sua meravigliosa vespa con cruscotto a Milano. Non ci ha provato mai più. Goffo tentativo di ristabilire la tradizione da parte di chi, quella tradizione, aveva più volte violato. A sue spese.

«Una cosa a cui non riuscii mai ad abituarmi fu l'essere continuamente fissata. Dato il mio aspetto tipicamente indiano pensavo che mi sarei confusa tra la folla e mi dedicai a un'intensa introspezione per cercare di capire le ragioni per cui la gente mi scrutava con tanta insistenza. Proprio mentre cominciavo ad avere una percezione più nitida di tutte le sfaccettature della mia identità, tutto mi divenne chiaro: evidentemente ero una creatura che originava stupore e imbarazzo, un'enigmatica confusione tra Oriente e Occidente. Possedevo alcuni tratti indiani ma il mio comportamento era tipicamente straniero; ero indiana ma al tempo stesso non lo ero, ero straniera ma non completamente tale. Non mi restava che

scegliere fra imparare a vivere tra gli sguardi curiosi o miti-
gare le mie caratteristiche occidentali; optai per la prima so-
luzione perché non volevo rinunciare a ciò che ero».

Questa frase di Sarina Singh, una scrittrice australiana di
origini indiane, mi è stata letta da Davide, che l'ha trovata mentre stava sfogliando la versione italiana della guida Lonely Pla-
net sull'India del Sud: eravamo a Madurai, in una camera d'albergo che in Italia non ci saremmo potuti permettere: con aria
condizionata, ventilatore e marmi. Lontani da infimi water e
temibili topi. Perfetti turisti. Inscatolati e protetti.

Ma ai primi raggi di sole, mentre ci rigiriamo nel letto de-
siderando solo un buon caffè, che mai avremmo avuto, veniamo bruscamente risvegliati dai rumori di un traffico incessante. L'incantesimo si spezza di fronte a uno spettacolo
da circo. Un gioco privo di regole: carri, carretti, risciò, mo-
torini, taxi, autobus e macchine si puntano e si sfiorano. Si
sfidano? Salgono con una ruota sul marciapiede, affiancano
i passanti, sterzano improvvisamente. E quasi per miracolo
non si scontrano. È la parodia di Napoli. Priva di semafori. E
strisce pedonali. Ma stracolma di vacche sacre, cavalli, buoi,
cammelli. Pochi elefanti. Molte biciclette.

Girare a piedi è un terno al lotto. Ci si sente perennemente in pericolo. Di sicuro si ritorna in albergo coperti di pol-
vere. Con il naso otturato dallo smog e le orecchie assordate
dai clacson.

Sono uscita nella frenetica, trafficata, rumorosa città con
la mia canottiera, i miei pantajazz, i miei anfibi, i miei capelli
ricci e sciolti. E la mia sigaretta accesa, in bocca.

La sfida continua.

Sfido continuamente. Ma cedo quando, in Italia, lo straniero, l'emarginato, è l'altro. È l'escluso che cerca di integrarsi, e
che viene trattato con disprezzo o compassione. È colui che,

comunque, chiede l'elemosina: chiede qualcosa che solo l'altro può dargli. Quindi dipende. È mancante: e mentre mi identifico vorrei colmare la sua mancanza, per renderlo completo. Per liberarlo. Per permettergli di essere se stesso.

E ogni volta che vedo un indiano o un africano, in Italia, spero che mi riconosca: che veda in me una della sua famiglia, una figlia.

E guardando gli extracomunitari più emarginati, in Italia, mi commuovo, trattengo a stento le lacrime: perché ogni volta che vedo uno di loro, soprattutto se uomo e sui sessant'anni, mi sembra strappato alla sua terra. Sradicato. E, in lui, vedo la sofferenza di mio padre. Il suo sradicamento.

Vedo la sofferenza di un ragazzo appena arrivato in Italia che, da benestante e rispettato, si ritrova povero e umiliato: da un professore di medicina che appoggia i piedi sulla scrivania, davanti a lui, mentre lo interroga. E, inesorabilmente, lo boccia.

Vedo la sofferenza di un medico che vuole diventare primario, e che la mattina ritrova la sua auto bruciata: è più che un avvertimento. Quella tanto desiderata promozione non arriverà mai, è inutile sperarlo.

Intanto io e Davide ci spostiamo verso un villaggio di montagna, ai confini con il Kerala. È segnalato come «località turistica», lo scelgo per questo, non solo per la sua vicinanza con quella che dovrebbe essere, anche, la mia terra. E invece ci troviamo a dormire in una stanza ricavata in una ex stalla che, però, della stalla ha ancora tutto. Non fosse per la branda, su cui non oso sdraiarmi. Inutile parlare del bagno, da cui arriva un fetore insostenibile. È troppo. È Goa la prossima meta.

«Goa non è India», ripeteva costantemente mia madre. Mica per altro andiamo in questo enorme villaggio turistico colonizzato dagli occidentali. E io occidentale sono, anche se continuo a ripetere a tutti che mio padre è indiano. Pensando che qualcosa, almeno per forza di gravità, sia dovuto ricadere anche su di me. È pieno di israeliani, americani e, chiaramente, europei. L'alcool non è vietato e per le strade si può fumare, indisturbati. Le giornate passano tra la spiaggia e i *chiringuito*, le notti negli interminabili party goani. Che nulla hanno di orientale, se non la suggestione. Gli indiani, visti come corpo estraneo alla loro stessa patria, sembrano esistere solo per offrire servizi. Servigi. La loro presenza dà comunque fastidio. Come sugli autobus del Sudafrica, in pieno apartheid, vengono tollerati solo se stanno al loro posto: quello più scomodo. Possibilmente invisibile, se non inesistente. Non si devono mischiare. Non devono ballare sugli stessi ritmi, bere gli stessi cocktail, drogarsi allo stesso modo. Devono tornare nei loro villaggi. Riserve «indiane».

E invece camminano avanti e indietro sul bagnasciuga per guardare le ragazze bianche che prendono il sole in costume. Qual è il mio posto? Danzo fino all'alba, sorseggio birra e prendo il sole in bikini. Senza problemi. Un ragazzo del Kerala mi chiede se posso fare una foto con lui: è una mania degli indiani, a Goa. Porterà questa polaroid agli amici per dimostrare che è stato con una ragazza straniera. Che sono io. Vorrei dirglielo: «Fesso, potrei essere tua sorella». Potrei. Ma non mi capirebbe. Non conosco l'hindi, balbetto l'inglese, parlo solo italiano.

Ormai sono troppo scura. Troppo sole è passato sulla mia pelle. Nessun indiano vorrebbe farsi fotografare con me. Non sono più un souvenir occidentale, sono un enigma da decifrare.

Come in un cruciverba, cerco le parole mancanti. Sud. Kerala. Casa. Famiglia. Il viaggio in treno che mi porta a sud, in

Kerala, a casa, dalla famiglia, dura due giorni. Dentro vagoni che sembrano carri merci. Gli indiani parlano, gesticolano e mangiano in continuazione: aprono infiniti pacchetti, estraggono il cibo con le mani, lo infilano in bocca. Poi sputano saliva e gettano resti dai finestrini. Sto male e, paradossalmente, ho fame. Cerco aria. Mi siedo davanti a una porta lasciata aperta. Il vento mi chiude gli occhi. Mentre davanti a me corre un paesaggio ricoperto dai sacchetti di plastica. Guardo, e mi addormento. Sogno la Sardegna. Un panorama incantato, silenzioso e pulito. Da cartolina. Arriviamo. Non mi lavo da quarantott'ore, vesto sporcizia e stanchezza. Aderenti. Vorrei liberarmi di tutto, anche di me stessa. Fare piazza pulita. La stazione di Trivandrum, con il suo incessante andirivieni di persone, odori e rumori, mi frastorna. Ma ho bisogno di un caffè, e di una sigaretta. L'accendo. Mi si avvicina un poliziotto. Sono in piedi, proprio dietro il tubo di scappamento di un pullman che ha appena messo in moto. Emette un fumo nero, tossico. Tossisco. Il poliziotto mi chiede di spegnere la sigaretta. «Si preoccupa per la mia salute?». No: nel Kerala è vietato fumare nei luoghi pubblici. La strada è un luogo pubblico. I pullman però possono circolare tranquillamente. Nessuno gli intima di fermarsi. Sono esasperata. Vorrei ficcargli il mozzicone in gola. Invece sorrido, bofonchio «Sorry», e me ne vado. Il caffè è un brodo tiepido marrone insapore. Molto più furbo Davide, che ordina *chai* e *dosa*. È ora di andare: carichiamo i pesanti zaini in spalla e ci muoviamo verso la stazione degli autobus, camminando di fianco a grandi cartelloni che pubblicizzano quasi esclusivamente film, d'amore: gli uomini hanno tutti dei lunghi baffi, le donne hanno tutte gli occhi azzurri. Oh perbacco, anche qui sono arrivate le lenti a contatto. Prendere il biglietto è come partecipare a una candid camera: speri che almeno qualcuno rida dall'altra parte dello schermo mentre tu ti sposti da uno sportello a un altro, e da una coda a un'altra, senza ottenere alcun risultato se non quello di iniziare a ciondolare anche tu ritmicamente la testa a destra e a sinistra come fanno gli impiegati con cui entri in contatto parlando due inglesi clamorosamente diversi. Intanto i bambini mi circondano tirandomi pezzi di vestiti, per chiedere l'elemosina: rupie, caramelle, penne o quaderni. Non do nulla, li scanso con modi spicci, non cedo alla compassione e alla tenerezza. Non provo né compassione né tenerezza. Ho un solo obiettivo, il biglietto. Alla fine lo otteniamo, e partiamo. Rimaniamo in piedi per ore, stretti tra altri infiniti corpi, insieme a cui ondeggiamo in maniera sincopata al ritmo delle repentine inchiodate e delle curve. È un go-kart, non un pullman. Mancano solo gli scontri. Alla fine ci sediamo, prendo posto di fianco al finestrino. Non voglio perdermi nulla, ogni dettaglio di questo viaggio può riscrivere la mia storia. La bambina seduta davanti a me sporge la testa, e vomita: sulla mia borsettina con gli specchietti comprata da un cachemiro a un prezzo irrisorio. «Ma cosa diavolo hai ingurgitato senza sosta per tutto il tempo?». La risposta è spiaccicata sugli specchietti. Alla prima sosta scendo e mi precipito a lavarla, la borsa non la bimba, sotto a una fontanella. Puzza ancora, e adesso è inutilizzabile. La chiudo ermeticamente dentro a un sacchetto di plastica che guardo con infinita tristezza. Anche gli oggetti sfuggono al mio controllo. Non gestisco più niente.

Arriviamo. Sono davanti alla villa in stile portoghese, con colonnato e patio, sotto cui mio nonno mi dava da mangiare le banane quando ero piccola. Me la ricordavo più grande. Più bella. Più ricca. Le persiane in legno, ormai marcio, sembrano cedere. Una donna piegata su se stessa e sorretta da un bastone esce da una porta, camminando a stento in diagonale. Potrebbe essere una delle mie zie, non so quale. Il cancello in ferro arrugginito è aperto. Vorrei chiuderlo, sigillarlo, girarmi e scomparire. Entro. «I am Marly». Il volto le si illumina. Rimane immobile. «Marly!». Sono passati vent'anni. Io non so chi sia. Lei sa chi sono. Mi avvicino, ci abbracciamo e annusiamo, lascia cadere il bastone. Il mondo potrebbe fermarsi adesso, per quel che mi riguarda. La aiuto a rientrare, mi mostra le foto di me da piccola appese in soggiorno di fianco a quelle del papà, dei nonni e di mio padre. Chi è lontano ha sempre un posto privilegiato: non lo si vive, lo si sogna. Le presento Davide, che sarà un ottimo traduttore per tutta la durata del nostro soggiorno: è lui il ponte che permette il dialogo delle parole, dopo quello dei corpi. Come in una processione vengono a trovarmi tutti i parenti. Mi sento una reliquia. Le giornate diventano un susseguirsi di appuntamenti. Si passa dalla colazione al pranzo alla cena senza fermarsi. Senza dare tregua allo stomaco. All'udito e alla vista. Le cugine mi guardano perplesse e alla fine una, la più schietta, accarezzandomi sentenzia: «Dovresti ingrassare, metterti il sari e farti la treccia». Vorrei risponderle: «Non hai mai pensato a una dieta, a una t-shirt e a un taglio corto?». Mi cucio la bocca. Durante un'interminabile festa di compleanno, mentre un nipotino balla una danza tradizionale su una musica hindi, crollo nel sonno. Al risveglio sogno di andarmene. Ho un'irresistibile voglia di Goa. Che non è India. Prendiamo il primo treno per Kovalam, che non è ancora Goa ma non è già più India. Camminiamo finalmente abbracciati, dopo giorni di contatti vietati per rispettare le tradizioni locali, e familiari, che aborriscono qualsiasi tipo di effusione in pubblico. A piedi scalzi sulla sabbia, passiamo davanti a negozi, bar e ristoranti. Compro una coperta per ripararmi dal freddo. Ci sono quaranta gradi, all'ombra. Su questa spiaggia mi rotolavo e facevo il bagno da piccola, quando mio padre e mia madre erano ancora una coppia. Non ricordo nulla. Sto cercando di comporre un puzzle senza averne i pezzi.

Ruben

Non è più tramonto, non è ancora alba. È il lungo e dilatato tempo della notte. Quello affrancato dai ritmi sociali. Quello dedicato al riposo, che spesso trasformo in lavorativo. La mattina preferisco dormire. A lungo. Un piacere a cui non rinuncerei per nulla, e per nessuno.

Guardo l'orologio. Le lancette continuano a scorrere, imperturbabili. È un ticchettio nel vuoto. Guardo il cielo. Nero, limpido, stellato, freddo. Silenzioso. Continuo a pitturare. Sono ancora arrampicata sull'ultimo gradino della scala, con il pennello in una mano e la tolla di colore nell'altra. Una parete della sala sta diventando giallo oro. Intanto ho finito tre Moretti grandi e un pacchetto di Fortuna rosse. Bottiglie vuote e posacenere zeppo. Penso. Non solo al giallo oro. Ma anche al rosa. Al rosa di quel pallino in più che si è impresso sul test di gravidanza. Sono incinta. Non lo volevo. Adesso non so se non lo voglio. Difficile svegliarsi a mezzogiorno se hai un figlio. Ma non si tratta solo di questo.

I bambini non mi hanno mai smosso sentimenti positivi. Indifferenza e fastidio, forse. Le famigliole poi. Me le immagino all'ora di pranzo, sedute intorno a un tavolo di plastica bianca nella triste veranda ricavata davanti al vecchio camper piazzato in una spoglia piazzola di un campeggio della riviera romagnola. Strepiti infantili e chiacchiericcio adulto, in un angolo una televisione che emette in maniera ipnotica immagini e parole enfatizzando un'atmosfera stanca, squallida e banale. Madri sfatte e trasandate, padri grassi e sudati, figli fastidiosi e petulanti. Una grande pentola ribollente cibo, versato come rancio su piatti in ceramica sbeccata.

Non ho mai vissuto qualcosa di simile, ho il terrore di viverlo.

Nessuna madre sfatta e trasandata, nessun padre grasso e sudato. Lei bianca, italiana, capelli castani e occhi verdi. Lui nero, indiano, capelli e occhi neri. Monocromo. Di bianco aveva solo delle macchie sul viso, intorno al mento. Vitiligine. Da stress. L'incontro con l'Occidente aveva impresso sulla sua pelle piccole chiazze chiare. Una strana forma di integrazione.

Genitori profondamente diversi, per cultura. Per aspirazioni. Che ben presto si erano separati lottando, entrambi e divisi, per la loro realizzazione.

In mezzo, io. Che appartenevo a una sola nazione, quella italiana, perché l'altra ormai era stata abbandonata. Eravamo in Italia. Eravamo a Milano. Dell'India esistevano solo delle foto, suggestive come un vaso cinese. Un oggetto che definisce l'arredamento. Non l'identità personale. Certo mangiavo tanto riso al curry e pochi spaghetti al pomodoro. Ma non è che uno davanti a un hamburger si senta americano.

Solo quando mi chiamavano negra, improvvisamente, ricordavo. E, immediatamente, volevo cancellare. Ciò che ferisce, solitamente, si rimuove. Il paradosso era che, in India, i bambini mi guardavano e mi indicavano, ridendo. E forse mi chiamavano bianca, ma la loro lingua io non la conoscevo. Non conoscevo niente del loro paese, che avrebbe dovuto essere anche il mio.

Ero composta da due metà che non si integravano. Che non comunicavano. Una era nata. L'altra rimaneva in gestazione. E rischiava di abortire. Però la favola del Brutto anatroccolo mi faceva soffrire: avevo chiuso il libro ed ero scoppiata in lacrime. Mia madre, stupita e preoccupata, mi aveva chiesto: «Perché piangi?», e io, singhiozzando, avevo risposto: «Ma se l'anatroccolo nero diventa bianco la sua mamma come fa a riconoscerlo?». Un modo tutto particolare di interpretare il lieto fine.

Intanto anche mio padre stava diventando italiano. Della sua patria conservava solo i tratti somatici. O solo quelli, visivamente indelebili, dava a vedere. Il suo nucleo nativo veniva lentamente ricoperto da strati di vita occidentale. Dall'angusta stanza di un pensionato studentesco dove dormiva, studiava e mangiava, costretto nella sua situazione di emigrato povero e solo, era passato alla villa con giardino in Brianza, dove veniva riconosciuto e rispettato come Il Dottore. E poteva cambiare abito ogni giorno, scegliendo tra i vari pullover in cachemire che per lungo tempo aveva solo desiderato, ammirandoli dalla strada: in piedi, davanti a un'elegante vetrina del centro milanese. Per questo, probabilmente, non sopportava i miei maglioni sformati, stile hippy.

Ma anche questa è India. Un paese fatto da uomini che considerano la camicia stirata e l'orologio d'oro quasi un dovere. Non importa se poi li indossano sopra al longhi: un pezzo di cotone arrotolato, a mo' di gonna, intorno alla vita.

In me, invece, la cancellazione dell'India era quasi avvenuta. Così alla domanda «Sei italiana?» senza esitazioni rispondevo: «Mio padre è indiano». Lui, non io. Io che mi stiravo i capelli quando Michael Jackson non era ancora una star. Io che usavo creme a protezione totale nei mesi estivi e pensavo di rifarmi il naso in quelli invernali.

Io che non pensavo di poter avere un figlio. Nel terrore di essere una madre bambina troppo presa da se stessa per potersi dedicare a qualcun altro. Nel terrore di avere un figlio che potesse sentirsi, come me, esiliato in ogni terra. Troppo nero per essere italiano, troppo bianco per essere indiano. Che si stirava i capelli e usava creme a protezione totale dopo essersi rifatto il naso. Nel vano tentativo di riconoscersi in un solo luogo, che è più facile. Incapace di riuscire ad apprezzare fino in fondo questo meticciato. Di essere fiero di queste due metà, che dovrebbero portare a un'addizione, non a una sottrazione. Dovrebbero. Comunque in lui si sarebbe trattato solo di un quartino. La mia eredità. Materiale difficile da gestire, lo sapevo per esperienza. Quindi come potevo regalarlo a qualcun altro, e a sua insaputa, con lieve noncuranza? Forse potevo.

È agosto. Sono al settimo mese di gravidanza. Passeggiamo insieme su una spiaggia della Sicilia. Con il mio corpo, ti avvolgo e ti proteggo: tu prendi il sole e osservi il mondo. Fai le capriole. Ho un costume a due pezzi, una pancia prominente e una pelle nero pece. A me la melanina fa quest'effetto. Sono più scura di mio padre. Mi sento osservata. Mi butto in acqua, per cancellarmi dagli sguardi degli altri. È un periodo difficile. Non so se riuscirò ad amarti. Non voglio farti del male. Intanto dalla casa a fianco alla nostra sento bambini cantare a squarciagola canzoncine idiote. Mi sembrano insopportabili. Mi accendo l'ennesima sigaretta, mentre tento di leggere un quotidiano. Telefona il nonno, è contento e fiero che tu esista. «Fumi ancora?». «No, ho smesso». Mento. Sono stufa di farlo preoccupare. Da quando ci sei mi chiama tutti i giorni. Ho la sensazione di contenere un dono prezioso. È per te che vengo seguita e accudita ad ogni passo. Saprò seguirti e accudirti anch'io, ad ogni passo?

Sono incinta e non lo nascondo, porto canottiere corte su pantaloni a vita bassa. La gente mi guarda, ci guarda. Siamo tornati a Milano. Non posso neanche più buttarmi, buttarci, in acqua. Che palle. Da sempre non ho voluto essere vista come un corpo estraneo e diverso, non voglio che capiti anche a te. E adesso ci sta succedendo.

Manca neanche un mese alla tua nascita. Vado in bicicletta. Sono sicura, a te la bici piace. Non sobbalzi neanche se prendo una buca. Placido. Forse stai giocando con il cordone ombelicale. Balli, anche. Seguendo il mio corpo, con il mio corpo, dentro al mio corpo. Andiamo ai concerti e balliamo insieme. In perfetta sincronia. Torniamo a casa quando il sole sorge e crolliamo sul letto, esausti. Forse ti sto chiedendo un po' troppo.

Comunque dall'amica che mi ha comprato il passeggino vado in bicicletta. È chiaro che, con questo potente mezzo sotto i piedi, io quel passeggino non potrò riportarlo a casa. Ma l'amica, previdente, lo carica in macchina. «Te lo porto io». «Ah, grazie». È difficile da spiegare, e infatti non lo faccio, ma quel passeggino mi disturba. Non riesco proprio a immaginarmi mamma. Per adesso ho solo la pancia. Mentre l'amica si preoccupa per te, e per i tuoi spostamenti: la invidio, vorrei vivere la tua attesa con lo stesso entusiasmo.

Non c'è niente in casa per te. È vero, ho completamente liberato la camera dalla libreria Ikea zeppa di colori, di tessuti, di colle, di forbici, di pennelli e di bottiglie di sabbia. Materiale da lavoro di una gestante che dipinge fino alle tre di notte. E che solo quando ti sente scalciare troppo forte decide che sta esagerando e se ne va a letto.

Adesso quella che è sempre stata la mia camera, e che presto sarà anche la tua, ha solo un aspetto più zen. Non c'è neppure la culla. È rimasta in deposito a casa della nonna, luogo innocuo e linea d'ombra. Dove potrei portare anche il passeggino.

La mia – la nostra? – è una camera vuota, non fosse per il materasso a una piazza e mezza poggiato su una pedana in legno. La sagra degli spigoli, perfetta per un neonato: puoi picchiare dove vuoi e hai un sacco di probabilità di farti male, ma male davvero. Altro che una botticina, così ti assicuro un bel taglietto.

Comunque il passeggino non lo voglio. Ma è un regalo. L'amica me lo sta portando a casa in macchina. Non posso dire di no. La seguo in bici. L'aiuto a caricarlo sull'ascensore e a trasportarlo su per un piano. Lo metto in sala. Oddio, ma non può stare sul balcone? Magari schiacciato in fondo, dove non lo vedo. Il tuo papà è entusiasta. Lo vuole aprire e montare subito. Anche l'amica fibrilla. «Apriamo-Montiamo!». Vorrei chiudermi in bagno. Idea. «No, guardate, aperto e montato occupa un sacco di spazio... meglio lasciarlo dov'è». Leggo la delusione nei loro occhi. Seguono attimi di silenzio, di quelli interminabili. Poi si avvicinano alla scatola. Cristo, è impossibile trattenerli. Strappano pezzi di scotch e alzano angoli di cartone. Potrei svenire. Lo estraggono, in parte. Ansia. Poi convengono con me: «No, è un casino...». Fiù. Scampato pericolo. Mi avvento sul loro oggetto del desiderio e lo reimballo come posso. Lo appoggio in un angolo. Che sia il meno ingombrante possibile. E non è solo una questione fisica.

Non ti immagino. Ma temo. Temo che tu possa essere sordo, muto, cieco. Tutte cose che un'amniocentesi non può dirti. Temo anche che ti manchi un braccio, o una gamba. Cose che le ecografie hanno scongiurato, ma chi può dirlo. Temo anche che tu sia stupido e brutto.

Non sono una stronza. Sono cose che quasi tutte le mamme temono. C'è scritto anche sulle riviste femminili. Certo non tutte le mamme temono queste cose. Ma io sì. Faccio parte dell'altro gruppo. No, ascolta, non è il gruppo delle stronze. È di quelle che non si fidano. Né della vita, né di se stesse.

Dunque temo. Ma non è del tutto vero che non ti immagino. Faccio finta di niente ma sotto sotto penso che tu sia nero: di pelle, di capelli e di occhi. Assolutamente nero. Come tuo nonno. I caratteri scuri vincono sempre. Dicono. Mai credere ai calcoli genetici. Mai puntare tutto sul DNA.

E penso anche che tu possa avere i dread. Sì, alla nascita. Probabilmente dopo il tuo primo vagito non sventolerai la bandiera della Giamaica ma, insomma, quasi ci siamo. Ora perché Giamaica e non India? Dunque l'India è la patria del nonno ma ha prodotto guru e non reggae, e io preferisco la musica. Ma questi sono dettagli. Per dimostrare che sei nel mondo urlerai «Uèèèè» invece di cantare *No woman, no cry*. E io, forse, riuscirò a sopportarlo.

Sono le quattro del mattino, striscio sul pavimento e mi attaco ai mobili. Un mal di stomaco così forte non l'ho mai avuto. Alla fine mi convinco e chiamo la ginecologa. Mi consiglia di andare in ospedale. Andiamo. Con me non porto nulla. Penso che mi dimettano subito con un buon antidolorifico in mano. Mi accompagnano immediatamente in sala parto. Stai per nascere. Maglietta e pantajazz neri, anfibi rossi. Che qualcuno mi compri una vestaglia ricamata e delle ciabattine rosa. Non è un rave, questo.

Spingi, spingi, spingi. Non ne posso più. Non esci. «Fatemi l'epidurale». «Datemi una sigaretta». «Torno domani». Niente. Niente anestesia, niente fumo, niente casa. Rimango lì. Prima seduta nella vasca, poi accovacciata in terra, infine sdraiata sul lettino. Il tuo papà mi accarezza i capelli e mi tiene la mano. L'ostetrica mi dice: «Sei bellissima». I complimenti aiutano il parto? Io non inveisco contro di loro, non grido parolacce agli estranei e non mi lancio in urli scomposti. Vorrei solo l'epidurale, una sigaretta e tornare domani. Se fosse possibile. L'ostetrica adesso sentenzia: «Lei non vuole farlo uscire». Cazzo, ma ha fatto medicina o psicologia? «Certo che no, sa benissimo che casini ci sono qui fuori». Arriva un donnone. Mi schiaccia la pancia. Esci. Quattordici (14!) ore di travaglio. Eh già, stavi giocando col cordone ombelicale. Lo sapevo. Potevi mica meditare a braccia conserte e a testa in giù. Quasi quasi preferivo un guru. Mica volevo per forza un cantante rasta. Comunque sei uscito. Ed hai urlato «Uèèèè». *No woman, no cry* l'ascolterò alla radio. Mi chiedono se voglio prenderti in braccio. Mica scema. Magari ti manca un pezzettino di corpo e io ci rimago secca. Ok, sono una stronza. Comunque ti prende in braccio il tuo papà, che mi ha assistito tutto il tempo senza fumarsi neanche una sigaretta. E già per questo è ammirevole. E poi ti ha tagliato il cordone ombelicale. Sei di entrambi, non solo mio. Gli chiedo: «Com'è?». Risponde: «Bello». Mica mi dice bianco, biondo, con gli occhi azzurri.

Mi portano in una stanza asettica e mi fanno sdraiare in un letto. Tra poco arriverai, dicono. Ti stanno visitando. Sei perfettamente sano. Ti portano da me. Ti prendo in braccio e ti avvicino al seno. Inizi a succhiare. È magia. Vorrei che non ti staccassi mai. La mia vita, adesso, ha il tuo significato. Ti amo. Non ho mai provato una sensazione simile. Così perfetta e piena. Nella sua, nella tua, dolce fragilità.

Tuo padre viene a trovarci ogni giorno, appena può. Il suo sguardo, e il suo abbraccio, sono una assoluta e immensa poesia, che ti sta dedicando.

Hai due mesi. Andiamo dalla pediatra. «Questo bimbo ha gli occhi azzurri». «Non scherzi, è perché lo allatto, poi cambiano, e diventano neri». Credenze popolari. Ribatte con sapienza medica: «No, no, sono azzurri». Ma vaffanculo! Intuisce il mio disorientamento. Scatta la domanda: «Ma è contenta di avere questo bambino?». Oddio, ma che c'entra? Certo che sono contenta. C'è solo un piccolo disguido cromatico.

È passato un anno e mezzo. Sei lievemente ambrato, castano chiaro, con gli occhi grigio-verdi. Sei bello. Bellissimo. Da chi hai preso? Salamadonna. Hai fatto un miscuglio tutto tuo, scegliendo bene tra i caratteri chiari. Fetente. Sei perfetto per le pubblicità della Pamper's. Per un attimo ho pensato di lucrare sul tuo aspetto fisico. Poi mi è venuto in mente il tuo papà, che delle fotomodelle ha sempre detto: «Carne da macello». Manzotin. Ora, noi due siamo vegetariani. Anche se a te, forse, una cotoletta non dispiacerebbe. Induista né per scelta né per tradizione, ma per imposizione. Mentre tuo nonno, cattolico di nascita, pasteggia a filetti di manzo. E, appena può, va a caccia. Unico svago, in una vita dedicata al lavoro. E a te, da quando sei nato. Che lo ricambi con «Ooooohhhhh» entusiastici davanti alla sua collezione di uccelli imbalsamati. Quella che a me è sempre sembrata una macabra esposizione a te sembra una splendida sfilata. Vi immagino in un campo all'alba, entrambi con il fucile in spalla. La discendenza ha saltato una generazione. Siete simili? Uno nero, l'altro bianco. Nonno e nipote. Magari anche tu deciderai di iscriverti a medicina. E riuscirai a diventare primario, perché tanto è difficile imbattersi in un primario nero tanto è facile incappare in un primario bianco. Ma, sinceramente, non mi importa. Sarai quello che vorrai essere. Le mie paure erano altre.

Io temevo. Temevo che anche tu potessi subire delle discriminazioni razziali. E invece qui mi va bene se non ti iscrivono ad honorem al Ku klux klan. Basta che non ti trovino in tasca una foto del nonno.

Poi le battute degli amici. Una su tutte: «Quando lo andrai a prendere all'asilo i suoi amichetti gli chiederanno: 'Chi è quella, la tua baby sitter?'».

Siamo stati a Bonassola l'estate scorsa. Pieno di bimbi. Ci sono più passeggini (argh!) che macchine. Pieno di baby sitter. Manco a crederci: tutte indiane. E che sorrisi di solidarietà mi facevano. Ricambiavo per cortesia. Ma volevo scrivermelo in fronte: «Gentili signore, non sembra, ma sono la mamma».

Eppoi guardateci bene, siamo uguali. Solo che la carta copiativa ha sbagliato i colori.

Ti faccio il bagnetto. La mia mano, nera, passa sulla tua spalla, bianca. Sono imbarazzata. Mi sento veramente la tua baby sitter. Ti vergognerai di me, da grande? Sembriamo due entità assolutamente distinte. Eppure sei uscito dal mio corpo. Da giugno a settembre ti ho messo al sole per quattro mesi di seguito, anche a mezzogiorno. «Ma gli ha spalmato la crema protettiva?». «No, l'ho immerso nell'abbronzante». Problemi? Sì, ce n'è uno: sei diventato biondo cenere.

E continui a essere bellissimo. Gattoni, socializzi, ridi. In spiaggia ti adorano. Muovendoti a quattro zampe ti avvicini agli altri ombrelloni. Non stai mai al tuo posto. Hai bisogno di conoscere e di esplorare. Sospetto che tu abbia anche bisogno di famiglia, e invece qui ci siamo solo io e la nonna. Tra me e il papà non va bene. Mi dispiace, ma ti sto riproponendo la stessa forma di famiglia separata. Che a me proprio non era piaciuta. Intanto tu gattoni, socializzi, ridi. Sei in mezzo al mare, calato in un salvagente, e una signora nuota fino a raggiungerti perché vuole vedere da vicino questo splendido bambino. Mi chiede: «Lei è la mamma?». «Ehm bè, sì già». Non si direbbe? E intanto mi becco complimenti su complimenti. Per te, grazie a te. Ti sdrai sopra di me, spalmato come il pane sulla nutella. Capovolgi anche le azioni più comuni.

Sei amato. Profondamente. Il sentimento che più mi colpisce è quello di tuo nonno. Che un giorno mi dice: «Non ho mai provato lo stesso affetto né per te, né per tuo fratello». Ci sono diverse foto di noi da piccoli. Siamo uguali a te. Stessi lineamenti, diverse cromie. Sembriamo prodotti da un solo stampo, made in India. Che costa anche meno.

Mio padre cammina per strada e ti tiene stretto contro il petto, con la tua testa appoggiata sulla sua spalla. La sua tenerezza mi era sconosciuta. Sei l'infanzia che, da nonno, riesce finalmente a vivere, amare e accudire. Cancelli il suo nervosismo e rimandi i suoi impegni. Si dedica a te, annullando il mondo che lo circonda e creando un nuovo universo, in cui esistete solo voi due. Lui, lo straniero, e tu, l'italiano.

Lui è venuto qui in nave, senza soldi e pieno di speranze. Ha abbandonato una famiglia e uno status. Si è ritrovato in una terra ostile. Ha lottato per essere riconosciuto, come uomo e come professionista. È comunque un indiano. È comunque un nero. Ed è l'unico che non si stupisce dei tuoi colori. Come se per lui, i colori, non esistessero. Solo una volta, da bravo medico, mi ha detto: «Gli manca la vitamina B, è per questo che dà sul rossiccio». No, papà, nessuna scappatoia. È castano chiaro, quando non esagera con quel diavolo di biondo cenere. Ma appena diventa un po' più grande gli facciamo la tinta. E poi lo portiamo in India.

Nella casa di famiglia: potrai giocare a fare il piccolo proprietario terriero bianco, moderna trasfigurazione del Buddha. E al primo che urlerà «Cazzo, sono tornati i coloni inglesi», cercheremo di spiegarglielo che sei il nipote del nonno. Forse tu, generazione seguente, saprai avvicinarti con più spontaneità e naturalezza al tuo quarto indiano. Che già matematicamente pesa di meno e si diluisce meglio. Ma probabilmente i bambini neri ti guarderanno e ti indicheranno ancora, e di più. Sempre ridendo. Loro non ti potranno riconoscere come fratello, spero invece che tu riesca a farlo. Intanto andiamo ai giardinetti, sotto casa. Una piccola oasi infantile circondata da una rotonda per le macchine e cinta dai muri dei palazzi. Filtra il sole, c'è da non crederci. Poco poco. Meglio così: a te, da vero nordico, il caldo e la luce troppo forti danno fastidio. Sul dondolo c'è una bambina di colore. Ti porto a giocare con lei. Indifferente all'apparenza vi vedo simili. Te ne vai, corri verso una bambina bianca, bionda, con gli occhi azzurri. Le dai pure un bacino. Ma lo fai apposta?

Io, che avevo appena fatto amicizia con la mia metà nera, speravo di potermi esaltare in un delirio di africanitudine. Perché già l'India non mi bastava più. Perché l'India, paese a me sconosciuto, per me è sempre e solo stata una delle varie terre del Terzo mondo. Di cui vedevo, in Italia, gli emigrati. Gli emarginati. La loro, identica, situazione. Quindi India, Sud America o Africa: la differenza non esisteva.

E intanto guardo questo figlio in braccio al nonno. Uno sradicato e l'altro radicato, nel paese in cui – per caso e per necessità – ci troviamo. E ogni volta che vi guardo mi commuovo. Siete una splendida foto, in bianco e nero. Clamorosamente diversi e fortemente uniti. One blood.

Ingy

Ingy Mubiayi, se non fosse nata al Cairo da madre egiziana e padre zairese, sarebbe la figlia perfetta della periferia nord di Roma. Convive con il compagno a Torrevecchia, è titolare di una libreria a Primavalle e nel 1977, appena arrivata nella capitale, andò ad abitare con la famiglia – una quindicina di persone tra genitori, fratelli, sorelle, fratellastri e sorellastre – a Casalotti. Scuole francesi e italiane, laureata in Storia della civiltà arabo-islamica alla Sapienza, Ingy ha cominciato a scrivere racconti perché ha incontrato Sartre e poi Camus, la de Beauvoir, la Yourcenar, la Duras, fino a Queneau, per approdare a Calvino, che non le è piaciuto subito, anzi l'ha capito molto tardi. Ingy si autodefinisce molto lenta, musulmana e occidentale ma contraria al divieto francese del *jihab*, pazza per la pastasciutta, il suo lato più italiano. Segue con interesse l'evoluzione del mondo islamico e si commuove quando ascolta il canto del *muezzin* o i versetti del Corano, che la riportano all'atmosfera idilliaca dell'infanzia.

Documenti, prego

«Dobbiamo aiutare Abdel Hamid a preparare i documenti», si leva imperiosa una voce dai fornelli, mentre io e mio fratello ci affaccendiamo intorno alla tavola nell'intento di imbandirla di tre piatti, tre bicchieri, tre forchette e qualche tovagliolo. Lì per lì non colgo il senso profondo di quella frase, anche perché sono concentrata sulla sigla del mitico Ispettore Capo Derrick: la serie televisiva più inumana che abbiamo mai seguito. Ci ha completamente stregati quel modo di comunicare ai familiari la morte di un congiunto: faccia a faccia a meno di due centimetri, reazione dei parenti nulla. Quando sono particolarmente prossimi, tipo padre e figlio, è più che sufficiente un «Ah, vi prego di lasciarmi solo, è una pena incontenibile per me». Mai una lacrima.

Una volta a tavola, nel mezzo delle chiacchiere quotidiane, mia madre rilancia, lasciando cadere un «aiutiamolo a preparare subito questi documenti». E io non raccolgo di certo. Ma gli ingranaggi del meccanismo sono stati messi in moto con la parola d'ordine DOCUMENTI ripetuta tre volte (una da Derrick quando scoprono il cadavere). La prima conseguenza è un senso di malessere metafisico con ripercussioni molto fisiche. Come quando ti ubriachi di gin e per riprenderti ti

97

fai una doccia, ma, sorpresa!, il bagnoschiuma è al ginepro. Terribile. Certo, io non dovrei conoscere questa sensazione: sono musulmana. E certo non descriverei a mia madre il fastidio che mi suscita la parola DOCUMENTI in questi termini.

Insomma, non è questo il punto. Il punto è che adesso quella minaccia aleggia sulle nostre teste e io non ho scampo. A chi è rivolto secondo voi l'invito? Allora: mia madre è impegnata tutto il giorno e tutti i giorni, tranne il giorno del Signore di queste terre (anche se qualcuna delle sue benefattrici, quali si considerano le signore che prendono delle straniere a ore, le ha detto che dato che la domenica non è giorno di festa per la tua religione, perché non fai una scappatina la mattina, ma con comodo, per carità di Dio?). E tra l'altro, sempre mia madre, ha qualche difficoltà a mettere insieme l'alfabeto latino. Mio fratello è sì in grado di mettere insieme l'alfabeto, anche abbastanza bene, ma è il piccolino di casa, nonostante i suoi centonovantadue centimetri di altezza e i tre lustri e mezzo che lo separano dalla sua apparizione nella mia vita. E poi è maschio. Quindi l'unica che risponde a tutti i requisiti sono io: buona capacità di assemblare e decodificare i caratteri latini in forma orale e/o scritta, familiarità con i luoghi della burocrazia, maggiore età sopraggiunta, femmina, dunque impossibilitata per questioni genetiche a dire di no, e soprattutto libera da impegni di ogni sorta in quanto universitaria. Insomma, l'eletta.

Il senso di malessere non mi passa nemmeno dopo questa considerazione mistica, anzi un leggero capogiro mi fa vedere le stelline. Intanto mia madre entra nei dettagli, raccontando di quanto sia bravo Abdel Hamid, di quanto sia lavoratore, di quanto sia sfortunato e soprattutto della sua poca dimestichezza con la logica burocratica, concludendo che quindi abbiamo il dovere, in quanto musulmani, di aiutare un musulmano, ma anche in quanto persone civili, certo.

L'orgoglio dell'*engagement* civile non mi consola, anzi, oltre al malessere e al capogiro, mi assale una certa nausea. Allora decido di distrarmi con il mezzo adibito a tale funzione e mi concentro su una Monaco di Baviera opaca (forse bisogna regolare la luminosità dell'apparecchio), sprofondata in un inverno perenne. Le immagini, però, mi conducono in un posto familiare. Quel portone mi sembra di conoscerlo... ma è l'ingresso della questura centrale, quella di via Genova! E riconosco il poliziotto all'entrata, quello che non ti guarda in faccia quando gli chiedi con la massima cortesia quale ufficio è preposto a una tal pratica, visto che a colpi di circolari cambiano di funzione e di sito ogni due lune. Quello che in risposta bofonchia sempre qualcosa in dialetto stretto, con le «e» così aperte che ti si scagliano nel cervello come note stonate. Quello che, adesso, mi fissa con un sorriso umano.

Mi guardo intorno stralunata, ma mio fratello è intento a infilzare tutti i fusilli che ha nel piatto, e sono tanti, con una sola forchettata. Essendo in piena età della contestazione, discute svogliatamente con mia madre dell'incapacità di Abdel Hamid, e con un percorso logico, anche se gretto e poco argomentato, gli dà dello stupido. Mia madre, che invece è nell'età della riscoperta delle radici, quindi esaltazione dei vincoli tribali tramite la rivalutazione dell'appartenenza etnica e religiosa, gli rilancia l'accusa con un ragionamento straordinariamente simile. Entrambi non si sono accorti di niente. Tento di attirare la loro attenzione sulla nuova puntata sicuramente girata qui a Roma, ma sono troppo presi a parlarsi addosso e ricevo solo qualche mala parola. Li lascio al loro passatempo e rivolgo tutta la mia attenzione allo sceneggiato (o *fiction*, come si dirà in un futuro prossimo). Ma le immagini ripiombano su un cielo bigio: in pieno centro città una Mercedes sta parcheggiando davanti al cancello di una casa con giardino. Mi rendo conto che si tratta di allucinazioni, eppure ho smesso di assumere sostanze stupefacenti da quando non mi stupefaccio più. Naturalmente mia madre ignora questi miei trascorsi, e non in quanto araba o musulmana, ma per la sua natura di mamma.

«Ma quanti giorni ci avremo mai messo a preparare quei documenti!», di nuovo rivolta a me. Duecentotrentasette, calcolo rapidamente: sette mesi tre settimane due giorni più una manciata di ore. Oltre al malessere, al capogiro e alla nausea, mi si annebbia un po' la vista, e così mi perdo la scena madre della comunicazione ai familiari della dipartita dell'amatissimo congiunto, sospetto omicidio. In compenso il mio terzo occhio si risveglia.

Negli ultimi anni abbiamo sognato rannicchiati sul divano di non dover più esibire quel foglio azzurrognolo, che tanti rappresentanti dello Stato si rigiravano tra le mani non sapendo bene che farci. O il momento in cui non avremmo dovuto più vagare nei meandri di via Genova alla ricerca dell'uomo giusto per il rinnovo del fatidico FOGLIO DI SOGGIORNO, l'uomo che non ti rispedisce alla circoscrizione per produrre certificati attestanti la tua esistenza in vita, il fatto che sei proprio tu che ti chiami così e che ti firmi colà, e che quella che dice di essere tua madre sia effettivamente tua madre (decine di anni dopo saranno sostituiti da un solo, semplice atto: «autocertificazione»). Negli anni precedenti, invece, rannicchiati sul lettone perché sprovvisti di camera da soggiorno (!), sognavamo di riuscire a ottenere quel pezzo di carta da esibire a chi di dovere. Perché chi di dovere venne a chiedercelo. Che spavento quando arrivò quella prima richiesta: un foglio invitava mia madre a comparire in questura per riferire sul suo status. Era il lontano 1982, non c'era ancora stata la legge Martelli e non si immaginava certo di arrivare a una Bossi-Fini passando per una Turco-Napolitano. Ancora non sappiamo come mai ci chiamarono, ma sospettammo sempre una soffiata, scartando subito, e non prendendo più in considerazione, l'ipotesi che i potenti mezzi della polizia di Stato fossero tutto sommato efficienti ed efficaci. Insomma, per settimane ci comportammo come testimoni sotto protezione, come nei bei film americani che piacevano tanto a mia madre, prima che si facesse prendere da un anti-imperialismo globale: trascorrevamo tutto il giorno fuori casa.

La mattina io e mio fratello andavamo a scuola. Nella sua ingenuità (d'altronde aveva solo 27 anni quando successe tutto ciò), mia madre non pensava che le forze dell'ordine sarebbero arrivate a scoprire quale scuola frequentavamo e a venire a prenderci lì. Lo riteneva un posto sicuro, all'epoca la scuola era ancora un luogo sacro, come stare in una chiesa (in effetti tutte le mattine per prima cosa si recitava il Padre Nostro, e vi assicuro che lo conoscevo molto meglio della Sura Aprente del Corano, mi piaceva molto quel riprendere fiato e passare con slancio all'Ave Maria). Io uscivo a mezzogiorno e mezzo e mangiavo un panino nel giardinetto della scuola aspettando che mio fratello finisse il tempo pieno. Di solito Rosa, la bidella, che faceva tanta paura perché urlava sempre nei corridoi, si sedeva lì accanto. Non diceva niente, si metteva lì vicino ad armeggiare con i suoi uncinetti. Io avevo una gran paura che fosse anche lei della polizia e che mi stesse controllando per loro conto. Quando mio fratello usciva, andavamo di corsa a prendere l'autobus, rigorosamente senza biglietto, e scendevamo all'altro capolinea, dove aspettavamo mia madre, che ci portava sempre qualcosa di buono, cioccolatini o un succo di frutta, cose che a casa ce le saremmo sognate. Peccato che era quasi sempre di pessimo umore. E lì stavamo al centro, a piazza Cavour! Facevamo due tragitti fondamentali: da piazza Cavour a piazza di Spagna, attraversando ponte Cavour, oppure a piazza Navona attraversando ponte Umberto I. In quelle piazze ci sedevamo a parlare, a guardare la gente, oppure ci addentravamo nei vicoletti lì intorno per scoprire nuovi percorsi. A me era assegnato il compito di leggere le targhe delle strade, così facevo esercizio, mamma memorizzava nomi e percorsi, e mio fratello storpiava tutto facendoci ridere a crepapelle.

Questi erano i nostri vagabondaggi senza meta, un ciondolare tra vie, piazze e lungofiumi. Poi invece c'erano i tour organizzati e mirati che si svolgevano in giorni prestabiliti.

La domenica mattina era sempre dedicata a Porta Portese: il mercato che raccoglie tutto il raccoglibile, nazionale ed estero. Andavamo all'alba, i banchi erano tutti montati con la merce in bella mostra e c'era già tanta gente che girava, contrattava, comprava. Qualcuno, come noi, rovistava solo tra la montagna di roba. Mia madre mi raccomandava di stare molto attenta, ché lì c'erano italiani che rubavano il portafoglio, e non era un mio problema, e zingari che rubavano i bambini. Quindi dovevo fare particolare attenzione a mio fratello. Il che voleva dire che io ero fuori pericolo, e non capivo che diamine ci potevano fare con mio fratello, ma stavo lo stesso attenta perché quello che diceva mia madre è insindacabile. A forza di andarci tutte le settimane, a Porta Portese avevamo fatto amicizia con gli ambulanti, e io pensavo che erano veramente sfortunati: loro erano destinati a girovagare in eterno, noi invece eravamo ambulanti temporanei, pensavo.

Lasciavamo il mercato solo dopo averlo percorso in tutte le direzioni, o quando mio fratello cominciava a dare segni di squilibrio. In quei momenti, se uno zingaro me lo avesse chiesto glielo avrei anche impacchettato con un bel fiocchetto. Allora prendevamo un autobus e raggiungevamo un posto incantevole: Castel Sant'Angelo, già Mausoleo di Adriano, il cui fossato era adibito a giardinetto prima che divenisse importante sito dell'Estate Romana. Lì mia madre ci dava i panini, di solito con la frittata, che aveva preparato la mattina mentre bevevamo il latte con il pane sbriciolato dentro. Poi mio fratello si addormentava e anche mia madre perdeva un po' i sensi. E in quelle nostre sieste forzate all'aperto io tiravo fuori il mio oggetto fantastico e via, andavo lontano là dove l'avventura mi portava. Allora non esistevano più piazza Cavour, l'autobus, la scuola, né tanto meno i cattivi che volevano costringerci a presentarci da loro, *alias* i poliziotti che ci avevano convocati.

Erano libri per ragazzi che Rosa, la nostra cattivissima bidella, provvedeva a lasciare distrattamente sulla panchina quando faceva i suoi lavoretti. Me ne lasciava due per volta e io poi glieli rimettevo là, come se niente fosse. Quanti personaggi ho conosciuto e che storie, tutte di avventura, ricerche, scoperte, scomparse, ritrovamenti... Ed era importante che finissi presto di leggerli, perché poi dovevo raccontare tutto alla mia platea, mia madre e mio fratello, che manifestava un vivo interesse, tanto che a volte ero costretta ad alterare alcuni eventi per soddisfarli di più.

Altri giorni c'era il giro delle chiese. Si trattava di andare in certe parrocchie, alcune lontanissime (una volta abbiamo preso il treno), in giorni e orari stabiliti, fare una discreta fila, interagire con altri raccontando la propria vicenda e prestando attenzione alla loro (quelli erano i nostri mezzi di informazione), per poi raggiungere un magazzino dove erano raccolte tutte le cose che le persone perbene non usavano più e che con animo caritatevole offrivano ai poveri. Pur essendo noi musulmani, arabi e mezzi negri. Lì ci donarono vestiti, scarpe, quaderni, giocattoli per mio fratello, coperte, tende, piatti e cibo: farina, riso, pasta, a volte anche olio. In alcune parrocchie c'era un contabile che segnava tutto, in altre la suora di turno o il parroco distribuivano a loro piacimento, rispondendo solo a Dio del loro operato. A volte infilavano in tasca di mamma una busta, e una volta a casa la vedevo che l'apriva e contava quello che c'era dentro piangendo.

La serata la passavamo indiscutibilmente a piazza della Repubblica, perché per fortuna era primavera e c'era un palchetto su cui qualcuno suonava e cantava. Ma a quel punto eravamo già cotti e giurerei che nessuno dei tre ha ricordi nitidi di quei momenti.

A una certa ora però bisognava tornare a casa, e allora la dura realtà saltava fuori come una bestia a lungo rimasta in agguato. Avvicinandoci a casa dovevamo fare attenzione che non ci stessero ad aspettare davanti al portone. E indovinate chi mandavano in avanscoperta? Dovevo arrivare al portone e controllare se c'era qualcuno nei dintorni, magari un uomo in uniforme o una macchina con una sirena sopra. Questo era un compito che poteva svolgere anche mio fratello, peccato che a due fermate da casa si addormentava e mamma doveva portarlo in braccio fino a dentro.

Altro che testimoni sotto protezione, noi eravamo latitanti, anzi CLANDESTINI! Ma allora non si usava questo termine e non si parlava nemmeno di extracomunitari. Si utilizzava negri, *tout court*. E mia madre questa non l'ha mai mandata giù. Per insultarci diceva: «Siete proprio dei negri come vostro padre». Peggiore insulto non esisteva, visto che mio padre ci aveva abbandonati per fare la bella vita da rifugiato in Francia. Tutte le nostre pene avevano un colpevole ben definito, non avevamo nemmeno il diritto di invocare una sana sfiga. Era una cosa da fortunati, quella. Mia madre, lei è araba, e non c'era verso, cartina alla mano, di farle accettare che l'Egitto è in Africa, quindi anche lei è africana, come i negri. Allora invocava le differenze razziali a sostegno del suo pensiero, e su questo avevo meno argomenti. Se mamma che è araba c'è e papà che è africano non c'è, un sillogismo si fa presto a farlo. Ma sarà per un insano gusto di contraddire mia madre che credo che siamo tutti uguali e a volte, quando il cielo è azzurro e il sole splende e l'aria è tiepidina, credo anche che un altro mondo è possibile?

Tutto si normalizzò quando una delle benefattrici si commosse a tal punto che decise di regolarizzare mia madre, la quale in cambio, come era usanza nei paesi civili, doveva lavorare gratis. E qui comincia il vero trauma infantile. Vai in circoscrizione, fai tutti i certificati che indicano che sei vivo e vegeto, che abiti dove abiti e che sei proprio tu. Il che durava un'eternità, perché un nome così lungo non si trovava mai sul terminale. E allora sali su a vedere se sei registrato all'anagrafe centrale, riscendi giù e rifai la fila per dire sì, esisto, allora vai dalla collega che ci capisce di più. Poi vai nella circoscrizione del datore di lavoro e rifai le stesse cose, però ci metti di meno, ma la benefattrice si lamenta lo stesso che ha perso una mattinata per noi e dice che gli impiegati sono addirittura più incivili di noi, perché perdono tempo e non sanno fare il loro lavoro. Certo, lei fa la moglie del primario, dev'essere dura! Mamma però mi fa capire, con un ceffone ben assestato, di non fare sempre la polemica perché quella è una brava persona e sta facendo un sacrificio per noi. Mi convinse rapidamente. Dopo la circoscrizione, bisognava arrivare in un posto lontanissimo e bruttissimo: l'Ispettorato del Lavoro. Già il nome faceva paura. Allora: entri e devi leggere tutti gli avvisi affissi sulla destra, perché se chiedi un'informazione che è scritta lì l'impiegato non ti risponde. Poi vai dall'impiegato delle informazioni sperando di fare una domanda intelligente, sennò devi ritornare indietro e rileggere tutto. Quindi prendi il numerino e vai nella stanza indicata. Dopo aver aspettato il tuo turno, entri e scopri che la documentazione non è completa e comunque non era quello l'ufficio giusto.

Infine c'è l'INPS. A quei tempi non era tutto così chiaro come adesso, con tabelle note a tutti a cui fare riferimento. Il concetto di trasparenza doveva ancora diffondersi negli apparati statali. Bisognava presentare il proprio caso all'usciere, il quale indirizzava all'ufficio preposto, secondo lui. Lì riesporre la situazione, per scoprire che è piuttosto complessa e che va studiata più approfonditamente, quindi bisogna prendere appuntamento con un dirigente. Ovviamente il dirigente è piuttosto impegnato, e anche se hai un appuntamento è improbabile che abbia più di tre minuti da dedicarti, allora ti rimanda alla sua stretta collaboratrice, che si ristudia tutto, cerca, indaga e alla fine, trionfante, individua lo scaglione di contributi che devi versare. Va da sé che li deve versare mamma, mica le benefattrici come sostiene, carte alla mano, la collaboratrice competente, zelante e attenta alle problematiche delle donne immigrate, un'antesignana della categoria.

Così, proprio mentre l'Italia tutta esultava per una coppa mondiale, abbracciandosi, ballando, piangendo e ridendo, tre persone in una piccola stanza di uno stabile a Roma Nord esultavano per un pezzo di carta azzurrognolo, abbracciandosi, ballando, piangendo e ridendo.

Una lacrima mi scorre lungo il viso e mio fratello mi prende in giro, con qualche fusillo che gli zampilla dalla bocca (devo ammettere con grande invidia) perfetta. Da sempre piango guardando le scene commoventi dei film e da sempre lui mi prende in giro. Ora non so se è stato quel ricordo a sollecitare le mie ghiandole lacrimali o la vista del dolore dei parenti del cadavere di Derrick. Comunque mi accorgo con un senso di sollievo di aver ripreso uno status psicofisico normale. Sviscerare un problema, anche con processi di regressione, aiuta a risolvere i nodi e a trovare la giusta prospettiva. Mi accorgo allora che proprio accanto al mio piatto è comparsa una pila di carte su cui troneggia il foglio azzurrognolo. D'un colpo solo: malessere, capogiro, nausea, offuscamento della vista con l'aggiunta di sudore freddo. Allora devo proprio farlo!

È il viaggio del sommo poeta, che soltanto discendendo negli inferi, coadiuvato da un'autorevole guida, poté poi risalire e coronare il suo sogno di salvezza! Così noi dovemmo attraversare le porte della prefettura (e veramente c'era scritto lasciate ogni speranza voi ch'entrate: l'ho fatto io) con in mano il *foglio informativo per la richiesta di cittadinanza italiana* come unica guida; vagare per tribunali, consolati, circoscrizioni, INPS, uffici del lavoro, uffici del datore di lavoro, banche (addirittura!), per giungere al cospetto del dirigente comunale che con grande indifferenza ti proclamerà CITTADINO ITALIANO. Il tutto per sfuggire a quegli stessi uffici; per rendersi non più erranti ma stanziali, attaccati a quelle esili radici che faticosamente e a dispetto di tutto crescono e affondano nel terreno.

Con sollievo sento che Derrick ha scoperto l'assassino, il quale ora sta confessando (i tedeschi di questa serie sono assassini, *malgré eux*), e tutto sembra rientrare nella giusta prospettiva. Anche perché mia madre sposta la pila di documenti dal mio lato a quello di mio fratello e gli fa un sorriso irresistibile, mentre la sua bellissima bocca rimane semiaperta in un'espressione indegna di un poeta, di un santo o di un navigatore.

Concorso

Saranno due ore che mi trovo in questo stato. Mia madre e mia sorella sono già uscite. Loro sì che si alzano presto, una per andare a lavorare, l'altra per andare a pregare. È più forte di me. Punto la sveglia alle sette, così magari facciamo colazione insieme qualche volta, ma niente. Apro un occhio e sento la vocina della mia mente che dice «è ancora presto, altri cinque minuti e poi staranno tutt'e due in cucina e troverai tutto pronto». Ragionamento che non fa una piega. Solo che poi nei fatti ai cinque minuti se ne aggiungono altri cinquantacinque. E io mi ritrovo come ora a fare colazione da sola. Ormai ci sono abituata, ma non mi piace fare colazione da sola. Prima, quando andavo a scuola ed ero costretta ad alzarmi presto, facevamo colazione tutt'e tre insieme nella piccola cucina e parlavamo. Cioè io parlavo, mia madre mi rispondeva per amore di mamma, mentre mia sorella grugniva, ma solo se era costretta a dare una risposta.

Invece oggi mi sono alzata presto, ma sono uscita dal letto proprio mentre loro chiudevano la porta di casa. Che rabbia! Ce l'avevo quasi fatta!

Il problema è che questa università proprio non funziona. È impossibile seguire le lezioni della mattina. Il freddo, il traffico, la calca nelle aule. Quelle del pomeriggio sono più praticabili. Se continuo così, sicuramente avrò il tempo di vivermi tutte le riforme. Sono un po' in ritardo sul programma. Ma il fatto è che mi sono stufata. Non mi va più, tutto qui. Vorrei fare qualcosa di concreto. Ecco perché mi ritrovo qui in cucina davanti a un modulo da compilare. Spero che fra un po' arrivi Simona. Lei è sempre così decisa! Come mia sorella. Mia sorella non ha tentennamenti. Per lei è sempre tutto bianco o nero. O con noi o contro di noi, come dicono quelli, anche se lei non la metterebbe in questi termini, e ogni volta che le dicevo che faceva i loro stessi ragionamenti anche se stava dall'altra parte si inferociva come una iena e mi rispondeva che io non capivo niente di politica. Sicuro. Io non ne capisco niente e non voglio capirne niente. Mica perché sono nera devo per forza essere impegnata. Invece mia sorella è così. Siccome era adolescente, allora doveva avere le turbe e fare tutte le cazzate che le passavano per la testa. Siccome era nera, allora doveva partecipare a tutti gli incontri, a tutte le riunioni, a tutte le associazioni di immigrati, doveva andare a tutte le feste di ogni comunità e consumare scarpe e corde vocali a ogni manifestazione, in ogni buco d'Italia (per la felicità di mia madre, che sfogava le sue preoccupazioni su di me). Poi, siccome si era iscritta ad architettura, allora doveva fare l'intellettuale sostanziale, nel senso di perseguire ideali immateriali con mezzi materiali. E adesso non so per quale motivo ha deciso di velarsi e dedicarsi anima e corpo a Dio e ai suoi figli.

Ovviamente io e mia madre siamo rimaste di stucco. Vabbè le lotte giovanili in nome di ideali utopici che aiutano a formarsi una visione del mondo sana e una corretta interpretazione della realtà, favorendo contatti interpersonali duraturi e scevri da ambigui e falsi presupposti ecc. ecc. (questo è il pensiero di mia madre tradotto in parole di mia sorella). Vabbè capire che non siamo tutti uguali e che è meglio affermare i propri ideali di pace e giustizia senza consumarsi troppo le belle e costose scarpe (questo invece è mio). Dico, vabbè tutto, ma da qui a portare il velo e andare tutti i santi giorni a pregare in moschea ce ne passa. Abbiamo tentato di parlarle. Ma niente. Lei si trincera dietro a «sono musulmana, mi sottometto a Dio e al Suo Profeta, che la pace sia su di Lui». Oppure: «questo è quello che vuole Dio per me, perché tutto è scritto e le pene dell'inferno sono terribili per chi si oppone alla Sua volontà!», e ci guarda con occhi accusatori. A quel punto sia io che mia madre ci sentiamo un filino in colpa e non osiamo controbattere.

A rigor di logica ha ragione.

Insomma, siamo musulmane. Nate e cresciute a Roma (tranne mia madre). Ma sempre musulmane. Mia madre è arrivata qui giovanissima, ma al Cairo le avevano insegnato le nozioni fondamentali della sottomissione ad Allah e al Suo Profeta (a questo punto dovrei dire che la pace sia su di lui, ma lo do per scontato) e i Cinque Pilastri. Avrà mandato sure e sure a memoria, avrà imparato qualche detto del Profeta, quelli basilari per una corretta condotta in questo mondo e per ricevere il meritato premio nell'altro. Il problema, però, è che quando mia madre viveva al Cairo si era determinata una congiuntura astrale tale che il suo paese non era propriamente dedito a queste cose. C'erano affari più urgenti: nazionalizzazione, alfabetizzazione, guerra al sionismo, quella che allora si riteneva l'«eterna» oscillazione tra russi e americani e che poi si è rivelata limitata nel tempo (adesso è difficile oscillare). Insomma non si poteva pensare troppo a quello che c'era scritto nel «Libro», con tutto rispetto, perché c'erano grandi cose da fare, c'era tutto un futuro da inventare. I soldi giravano. Si viaggiava, si mangiava bene, ci si vestiva bene, con minigonne da far arrossire la Bardot. Tutti fiduciosamente protesi verso un ricco e promettente avvenire. Quindi, sì le preghiere, sì il digiuno, certamente l'elemosina rituale, ma il velo! Al massimo un delicato foulard di seta finissima con colori alla moda buttato con estrema cura sulla testa a proteggere dalla brezza notturna del Lungonilo l'opera del *coiffeur* e le spalle scoperte. Il velo, quello vero, quello che ti fa quel bell'ovale che agli arabi ricorda il manto stellato che avvolge la luna, quello era roba da ultracinquantenni (a quel tempo lì, a quarantacinque anni si entrava già nella terza età).

Quindi a mia madre, legata a quell'immagine del velo, fa un po' strano che la figlia venticinquenne sia tutta bardata come sua nonna. E poi non è solo il velo. Fosse solo questo poco male, perché a casa sei autorizzato a vestire «in borghese», cioè a capo scoperto e come meglio ti pare. Ma è tutto ciò che si porta dietro. Per esempio, mica si può più parlare al bagno. Sembra una cosa da niente, ma immaginate voi una casa con tre donne che vi gironzolano. Quale pensate sia il luogo migliore per una bella chiacchierata sulla giornata appena iniziata o già trascorsa? Sugli eventi del mondo o su quelli del condominio? Sugli amici e sugli amori? O per le confidenze da tenere segrete a una delle tre?

Il bagno. Il nostro bel bagno. Mentre ti fai la doccia o ti disegni le sopracciglia o quando ci si decide a fare la ceretta – quella casereccia fatta da mamma con zucchero e limone – e due cose sono necessarie: 1) concordare una data, 2) essere in vena, perché altrimenti la ceretta, questa specie di caramello, ti si appiccica tutta e fai un pasticcio. Quando abbiamo finalmente comprato casa ci siamo assicurate che avesse un signor bagno, altrimenti non se ne faceva niente. E in effetti questo è un po' sproporzionato rispetto al resto. Al momento dei lavori, tutti gli operai che ci si sono presentati ci hanno proposto di ridurlo. Ma noi come un sol uomo, anzi una sola donna, rifiutavamo con cortese o scortese fermezza, a seconda dei personaggi che avevamo davanti. Insomma, il nostro signor bagno è corredato di vasca grande, bel lavabo incastonato in un mobiletto in muratura, servizi, scarpiera, cesta per i panni sporchi, una piccola libreria per i momenti di solitudine e uno sgabello.

Ma il pezzo forte era la radio. La radio prima era sempre accesa, ma la frequenza dipendeva da chi in quel momento era la titolare del bagno. Io vivo un periodo sudamericano che non riesce a vedere tramonto, e quindi tutto il giorno aleggiava questo vento di salsa e merengue, condito con un po' di samba verace e violenti sbuffi di bossa nova, mentre le sonorità andine le riservavo per la notte. Mia madre era fissa sulle radio di governo, così le chiama. Ma solo le prime due, la terza ha difficoltà a seguirla. E quindi giornali radio, inchieste, programmi di intrattenimento e radiosceneggiati fino a tarda notte, con voci vellutate che la accompagnavano verso il sonno raccontando storie di vita vissuta quando ancora non andavano di moda. Mia sorella prediligeva appunto la terza rete di governo perché si occupa di argomenti che a nessun governo interessano, Radio vaticana per la musica classica di qualità e i giornali radio in lingua originale, e poi una miriade di radio locali semilibere come quella della comunità omosessuale x, o quella del gruppo per l'autodeterminazione di non so quale etnia, e tutto il giorno con questi che si parlavano addosso e lei a replicare come se fosse stata a una riunione del collettivo.

A un certo punto tutto ciò è stato bandito. La radio è stata spostata, e questo ci ha fatto molta tristezza. Mia madre ha tentato una debole resistenza, dicendo che non le sembrava che il Corano proibisse di ascoltare il giornale radio. Ma mia sorella, con uno sguardo confezionato per coloro che ancora brancolano nell'ignoranza, le ha risposto che no, non lo dice il Corano, ma il nostro PROFETA (ormai tutto a grandi lettere), che la pace sia su di lui (ovviamente), ha detto chiaramente che nel bagno vivono degli esseri che potrebbero venire disturbati, e in più il Maligno predilige questi luoghi per manifestarsi. Quindi è meglio non sollecitarlo, richiamandone l'attenzione.

Basite.

Siamo restate a bocca aperta, io e mamma. Ma mentre lei si è ricomposta quasi subito perché si è ricordata di aver sentito una cosa del genere nella sua remota infanzia, io invece sono rimasta fortemente colpita. A quel punto sono sorte alcune questioni di importanza capitale: 1) al tempo del Profeta (...) avevano bagni così come li intendiamo noi? Cioè, va inteso tutto così letteralmente? 2) Ammettendo che sia vero, fino ad ora cos'era successo con tutto quel vociare? Avevamo disturbato parecchi esseri? Si sarebbero vendicati tutti insieme invadendo casa quando una delle tre si fosse trovata sola, a mezzanotte, senza corrente e con il telefono isolato? 3) E ancora, sempre ammettendo che sia vero, che ci faceva il Maligno al bagno? Cioè, stava tutto il tempo lì o gironzolava per i bagni del mondo e all'ora x del giorno x del mese x timbrava il cartellino nel nostro bagno, e se per caso una di noi avesse fiatato si sarebbe manifestato nella sua bruttezza? Di fronte al brivido che da sempre crea il Grande Bisbigliatore, come lo chiama mia sorella da chiari riferimenti coranici, ci siamo convertite al silenzio in bagno. Le nostre sedute sono diventate sempre più brevi, per non farci trovare lì quando quello dovrà timbrare il cartellino. E stiamo prendendo in seria considerazione l'idea di ridurlo, questo bagno, tanto chi usa più la vasca al giorno d'oggi, una doccia basta e avanza. Poi la libreria al bagno non serve mica.

Accidenti, Simona non arriva. Come si fa a prendere una decisione del genere? Non ne esco più. Sono al primo anno fuori corso, probabilmente in due anni riesco a finire questa angoscia di università. Se mi va bene, altri due anni di pratica e poi l'esame di Stato, almeno due o tre volte, e alla bellezza di trentatré anni o giù di lì bisognerà cominciare a sbattersi per trovare clienti a cui prestare i propri servizi. Di avvocato.

Avvocato nera.

Chi mai accetterà di essere rappresentato da un avvocato nera? Potevo pensarci prima. Già quando vado a fare gli esami credono tutti che sia una studentessa Erasmus. Quando spiego con perfetto accento romano che vivo qui dalla nascita, mi sembrano un po' imbarazzati. Non mi è mai successo di subire discriminazioni razziali. I professori sono stronzi indiscriminatamente. Ma chi se lo immaginava che avrebbero pullulato tutti questi corsi triennali, lauree brevi, specializzazioni, eccetera eccetera. Che fare, cambiare corso di laurea per trovarmi con un pezzo di carta che vale ancor meno di quello che otterrei proseguendo per un altro paio d'anni questo? O continuare come se nulla fosse, sperando che la voglia di finire prenda il sopravvento? Oppure compilare e spedire questo modulo?

Troppe scelte, è questo il problema. Se uno non avesse scelta sarebbe meglio.

Non sono così cinica e priva di valori morali come mi dipingo. Credo nella giustizia, non tanto quella divina, che mi lascia un po' perplessa e se possibile è anche più lunga di quella nostrana. Se da noi riesci a non vedere una sentenza nell'arco della tua vita, bè, per quella divina devi aspettare generazioni, sperando che qualcuno abbia preso un appunto per i posteri. Insomma, io credo che si possa lavorare per migliorare la giustizia terrena, credo che nel piccolo si possa fare molto, mentre nel grande quasi niente. Quindi, quale esperta della legge e dei suoi meandri, potrei limitare le piccole ingiustizie, le sopraffazioni e gli abusi quotidiani.

Per questo scelsi giurisprudenza, e fu un giubilo collettivo a casa. Mia madre che si prefigurava il tanto agognato riscatto sociale (ed economico), mia sorella che si immaginava la mia professione al servizio dei suoi ideali (gratis, ovviamente).

Mannaggia a Simona! Lei è così convinta. Se fosse qui potrebbe convincere anche me. E poi tra un avvocato nera e una poliziotta nera che differenza fa? Avrei preferito fare il concorso nella Benemerita, però. Sì, loro mi ispirano più fiducia. Vestito nero, con quella striscia rossa che dà un guizzo diabolico al tutto. Certo lì non ho proprio nessuna speranza, come farebbero a risalire al mio trisavolo e da lì giù a grappolo per tutti i familiari alla ricerca di una qualche macchia che possa contaminare il motto «Fedeli nei secoli»? Sicuramente l'Arma possiede potenti mezzi investigativi, ma cercare informazioni su parenti che nemmeno io conosco è un po' troppo. Va bene quelli di mia madre, ma quelli di mio padre? Chi li conosce, quelli? A dire il vero non so molto nemmeno di lui. Pare che fossero incompatibili, lui e mia madre, così, dopo un tentativo fatto di due figlie, ha deciso di ridarle la libertà, per non abusare della sua giovinezza e permetterle di crearsi una nuova vita, mentre lui avrebbe girato il mondo alla ricerca della sua strada. Sparendo dalla nostra vita per sempre. Generoso, no?

Comunque l'Arma è esclusa. Ora c'è il concorso per la polizia di Stato. Non sono tutti uguali i concorsi. Per esempio ce n'è stato uno per la Camera dei Deputati. Non me la sono proprio sentita. Mi faceva male al cuore mettere in imbarazzo tutta un'ala di onorevoli con la mia presenza: mentre loro inveiscono contro ogni tipo di contaminazione, io con il mio muso negro sarei stata una contraddizione in termini. Quindi ho lasciato perdere. Magari in polizia finisco gli esami e posso avanzare di grado. Avranno i gradi in polizia? Magari divento ispettore, poi commissario e via via su fino a questore. Dai, un questore donna, nera e musulmana a Roma! Sto impazzendo.

Simona sta aspettando Sandra. Quindi aspetto anch'io. Ecco le mie amiche. Le S della mia vita, le M invece sono Mamma e Magda, mia sorella. Che però a volte sta con le S (perché sorella). Gli altri invece li divido per luogo di conoscenza. Ci sono gli amici di quartiere, quelli del liceo, dell'università, palestra, vacanza o incontri occasionali. Ora, tra tutti questi non c'è nemmeno un nero. O un giallo. O di qualsiasi altro colore. I miei amici sono solo italiani, cavolo! Nemmeno l'ombra di un arabo, di un nigeriano, di un filippino. Quelli che conosco, cioè con cui ho scambiato qualche chiacchiera, sono tutti amici di mia sorella. Una volta ci ha fatto ospitare quattro angolani, venuti a Roma per non so quale festival, e con nostro sommo stupore abbiamo scoperto che c'erano dei musulmani anche in Angola. A quanto pare il mondo è pieno di musulmani, avranno forse ragione ad essere preoccupati quelli là? A dir la verità ci siamo preoccupate anche io e mamma. Per Magda. Insomma, tutto quel fervore, quel modo di parlare per frasi fatte, ascoltate chissà dove e da chissà chi. Non è da lei. E poi quel Bisbigliatore sempre in agguato in ogni parola, atto o pensiero. E quel rigore da partito comunista dei bei tempi. Duri e puri. Sempre. Quell'ergersi a giudice e accusare tutto e tutti (questo però è consono al suo carattere). «E qui mettono lo strutto ovunque». Oppure: «tutte queste femmine – giuro che ha usato questo termine – con le mutande di fuori, assaporeranno le fiamme dell'inferno su ogni lembo di carne che hanno lasciato scoperto!». E io mi immagino sempre la scena e mi viene da tirare un po' più giù la maglietta. E poi se la prende con le bevande inebrianti, prodotte direttamente dal «nostro» Bisbigliatore per confondere le menti e ingannare gli animi. E la promiscuità dei giovani. Sembra rattristata e in pena per la loro sorte.

Su questi argomenti, però, sono già meno impressionabile. Eh sì, perché mia sorella era quella che faceva a gara a chi buttava giù una pinta di Guinness più in fretta. All'età di 19 anni era una grande esperta di *Ron*, come lo chiamava lei: riusciva a distinguere senza difficoltà quello cubano da quello venezuelano e sapeva tutte quelle cose che si imparano solo dopo lunga e assidua pratica. All'università i suoi gusti si erano un po' raffinati ed era passata al Porto, e allora era andata fino in Portogallo e in Inghilterra per approfondire le sue conoscenze. Non so quale collettivo frequentasse in quel periodo, ma andavano in giro con un furgone che oltre che da mezzo di trasporto fungeva anche da dormitorio. E da quel che mi ha raccontato non mi sembra che le dispiacesse l'incontro prematrimoniale con l'altro sesso.

A un certo punto tutto ciò è stato cancellato. Come se si potesse di colpo eliminare una parte di sé che non piace più. O non è mai piaciuta. Io forse eliminerei il mio nome. Mia sorella è stata fortunata, perché Magda è un nome che può sembrare italiano, io invece... Hayat, con l'acca aspirata! Vuol dire vita. Lo cambierei con un nome un po' più anonimo. Chissà, se mi chiamassi Francesca o Giovanna e non avessi questo cognome che comincia per *Abd*, cioè servo, forse sarei più tranquilla, adesso. Se fossi una Maria Rossi non starei qui a pensare se compilare o meno questo modulo. Lo farei e aspetterei. Magari cercandomi uno sponsor. Perché avrei la certezza che nessuno inarcherebbe le sopracciglia alla vista di un cognome che significa servo e un nome con l'acca aspirata che vogliono infiltrarsi nelle libere e democratiche istituzioni. Non c'è spazio qui per servi né per acca aspirate, vorrebbe dire quel sopracciglio, quindi depennata subito, senza possibilità d'appello. Anche se siamo in uno Stato di diritto.

Intanto che aspetto le mie S quasi quasi esco. Ecco una meravigliosa idea! Vado al commissariato. Do un'occhiata a quello che fanno. Magari c'è un URP che mi aiuta a decidere.

A piedi il commissariato è proprio vicino. L'edificio è protetto da un enorme cancello e una telecamera ti segue mentre percorri un vialetto verso un gabbiotto di vetro, l'avamposto del commissariato. Ovviamente c'è una discreta coda per le informazioni. Mi affaccio per studiare la mia prima cavia. E lo vedo. Un ragazzo forse più giovane di me, con la sua bella uniforme blu. Se ne sta appoggiato alla scrivania mostrando il suo profilo migliore alla fila, e parla animatamente con un collega affacciato alla porta in posa plastica. Esco dalla fila per godermi meglio la scena. Anzi mi appoggio proprio lì davanti, rassicurando la capofila che sta per protestare. Il ragazzo pare non accorgersi minimamente del sommesso brusio che si leva da dietro il vetro, e nemmeno il collega che si mantiene in un equilibrio precario tutto proteso dentro la stanza, appoggiato a quell'esile maniglia. La fila è meno interessante. A occhio e croce direi tutti stranieri. Molti biondi, qualche asiatico e latinoamericano, pochissimi africani. Tutti ordinatamente in coda, approfittano per scambiare notizie a bassa voce.

Ecco che arriva un signore chiaramente italiano, guarda la coda, guarda me, guarda il gabbiotto. È palesemente indeciso. La fila è composta solo di extracomunitari, avranno a che fare con l'ufficio stranieri, quindi, e il suo sguardo è chiaro su questo punto, lui può passare oltre e fare la sua domanda. Si avvicina al vetro e tenta un timido richiamo al poliziotto. Sorride ai primi della fila che lo guardano in cagnesco e farfuglia qualcosa tipo denuncia, libretto di circolazione. Ma uno dei biondi emerge dalla coda e aggredisce l'uomo, con frasi molto sgrammaticate ma inequivocabili. La signora in prima posizione si sente le spalle coperte e comincia anche lei a inveire con un cicaleccio spagnoleggiante. Subito il brusio sommesso si fa audace e qualcuno comincia ad additare il giovinastro dal bel profilo. Intanto il signore si scusa, cerca di spiegare, ma poi comincia a inveire pure lui, ad accusare, e non si capisce più chi ha ragione e chi torto. Avverto un impercettibile movimento dall'altra parte del vetro. Con la coda dell'occhio il pubblico ufficiale ha intravisto qualcosa, ma, come intimorito, si sposta lentamente, negandoci il profilo ma regalandoci un bel primo piano delle sue possenti spalle. Infine, come con un passo di danza, ci manifesta tutta la pienezza del suo volto. E *plic*. Un vocione irrompe dagli altoparlanti posti ai lati della vetrata. Ecco il trucco! Non era indifferente a tutto ciò che stava avvenendo, era isolato. Nel giro di pochi minuti la coda per le informazioni è smaltita. E rimango solo io. Lui mi fissa. Io lo fisso. E ora? Di nuovo *plic*. «Dica?». Silenzio. Intanto che cerco di formulare una domanda moderatamente intelligente lui, scandendo e gesticolando, mi urla: «UFFICIO STRANIERI DRITTO POI DESTRA PORTA GRANDE A DESTRA», e mi porge un numerino. Lo prendo e seguo pedissequamente le sue indicazioni. E mi ritrovo in uno stanzone con una marea di gente in attesa. Bè, qui le etnie sono più equilibrate. A occhio e croce mi sembra che ci siano proprio tutti, con una leggera prevalenza di Est-Europa e di Sud-America. Aspetto un po' gironzolando per la stanza e leggendo le varie informative. E noto con soddisfazione che sono al corrente di tutto: avvisi, procedure e formulari. Allora gli studi servono a qualcosa! E poi mi viene in mente che la mia fonte è mia sorella e non i voluminosi manuali di diritto. Passerà le sue giornate qui dentro? Delle forze dell'ordine però non si vede nessuno. Cambio stanza e vedo il signore di prima che voleva saltare la fila. Sta litigando animatamente con un poliziotto. Allora è la sua giornata!

«E io cosa dovrei fare adesso? Secondo lei cosa dovrei fare? Ma tu guarda in che paese mi tocca vivere!», questa la litania dell'uomo. Dall'altra parte il poliziotto, anzianotto anche lui e con una pancia prominente, agita in mano un paio di occhiali ripetendo «Ma cosa dovrei fare io, adesso? Eh? Ma lei cosa farebbe al posto mio? Eh? No, mi dica? Eh?». Se non escono da questa *impasse* non riuscirò mai a capire qual è il motivo del contenzioso. Poi noto che agli occhiali manca un'asta e una lente. Una signora uscendo dice «Lo sapevo che dovevo andare dai Caramba, da loro non sarebbe mai successo!». Non so bene quale sia la questione, ma anch'io la penso così. Riesco a capire che all'agente che si occupa delle denunce si sono rotti gli occhiali, pertanto si ritrova impossibilitato a redigere le suddette. Ha tentato di convincere il suo collega in guardiola a cambiare di mansione, ma sembra che il regolamento non lo permetta, e il giovanotto non se l'è sentita. «In commissariato non c'è mica gente che ti può sostituire così *d'amblée* – testuali parole del poliziotto – hanno tutti cose importanti da fare. DIFENDONO I CITTADINI COME

LEI!». Troppo facile controbattere a questa tirata, soprattutto se ti hanno appena rubato la macchina o svaligiato casa, come ai signori rimasti a seguire la discussione, che non gli risparmiano proprio nulla. Una volta fuori.

Adesso ho un quadro abbastanza chiaro. Soprattutto del perché è stato indetto questo concorso. Qui dentro non mi possono aiutare. Meglio se torno ad aspettare le ragazze a casa.

Fuori dal cancello del commissariato c'è un muretto su cui è seduta una donna. Si dondola abbracciata a una bimbetta e un uomo le parla chino su di lei. La donna sta chiaramente piangendo. L'uomo è palesemente arabo. Come lei.

Basta un attimo di tentennamento nella vita e ti ritrovi risucchiata in un vortice.

L'uomo mi fa segno di avvicinarmi con la mano, emettendo una specie di fischio. E la cosa mi urta violentemente. Vorrei dirgli qualcosa di sgradevole, ma il suo volto mi blocca. È evidente che si trova in imbarazzo, ha il viso contratto in un'espressione di compassione. Non riesco a ignorarlo. Mi avvicino.

«Qualche problema?», domando cercando la formula più neutra possibile.

«Scusa, io devo andare al lavoro, sennò lo perdo. La signora qui ha un problema. Un problema grande grande. Io non posso aiutare adesso. Veramente scusa». E saluta la donna dicendole la stessa cosa in arabo. Poi se ne va, con le spalle curve e scuotendo la testa. Mi ritrovo con questa donna che non smette di piangere e mormora parole incomprensibili abbracciata a una bambina. Lo squillo del cellulare mi toglie dall'imbarazzo. Sul display appare SORELLA.

«Dove sei?».

«Ciao sorella, sono davanti al commissariato».

«Che è successo? Stai bene?».

«Sì, sto bene, non ti preoccupare. Tu dove sei?».

«Io sono qui dietro, stavo andando a casa ma non ho le chiavi. Tu ritorni a casa?».

«Sì, cioè no. Ascolta, vieni al nostro commissariato. Ti aspetto qui, capito?».

«Ma che succede?».

«...».

«Va bene, arrivo subito».

Intanto la nenia della donna mi immerge in uno stato di angoscia. Comincio a parlarle. Le chiedo se sta bene, se posso fare qualcosa, se vuole un bicchiere d'acqua. Lei alza appena gli occhi e mi dice «Aiutatemi. Mio figlio. Aiutatemi. Mio figlio». E continua con questa tiritera. Comincio a oscillare tra quell'«aiutatemi» e «mio figlio». A me sembra una bambina, quella che tiene in braccio. Eppure quelle due parole le capisco benissimo *sa'iduni* e *ebni*. Cerco nella mia mente altri significati e altre associazioni che possano aiutarmi a districarmi in questa faccenda. Provo a toccare la piccola, forse sta male, la tiro un po' a me. Ma fa resistenza. Trema in tutto il corpicino. Non capisco se è lei a tremare o se segue semplicemente le vibrazioni della madre. Che situazione! Le mie S mi aspettano. Dovrei stare a decidere della mia vita in questo momento. Io devo pensare a quel modulo! Con tutto il rispetto per il dolore altrui, ovvio.

La polizia. Semplice. Siamo qui davanti, li chiamo, loro vengono e risolvono il problema. Con tutte quelle telecamere nessuno si è accorto che questa poveretta sta qui a piangere!? Il mio arabo è allo stadio primitivo, se non primordiale. Riesco a formulare un concetto, non certo in modo compiuto e poetico come la lingua del Corano permetterebbe. Ma me la cavo, tanto più che «polizia» si dice quasi uguale, e a quel punto la signora comincia a singhiozzare ancora più for-

123

te, trascinando un lungo lamento e reimmergendo il viso nel corpicino della piccola, che si mette a piangere anche lei. E siccome non mi viene in mente niente di meglio, le seguo. Accarezzando la testa coperta da un foulard piuttosto liso.

Una frenata stridula indica che mia sorella è arrivata.

«Che è successo? Stai bene, sì?».

Una volta rassicuratasi che sto bene, mia sorella passa a quello che il suo occhio clinico ha già individuato come il problema reale. In due parole le dico cosa sono riuscita a capire: cioè niente. Lei allora si siede accanto alla donna e cosa fa? Comincia a recitare versetti coranici! È proprio matta! Questa è disperata e lei si mette a recitare il Corano, magari ora le dice che si deve sottomettere all'Altissimo! Mia sorella però mi indica con il dito di fare silenzio. E dopo qualche istante anche la donna la segue nella nenia, smettendo di piangere e di tremare. Pazzesco! «Vado a comprare dell'acqua», dico io. Prendo anche qualcosa da mangiare e un po' di dolcetti per la piccola. Quando torno le trovo ad aspettarmi in macchina. La bambina dopo un attimo di esitazione si avventa sul cibo, mentre la donna sorseggia solo un po' d'acqua.

«Allora?».

«Allora è un bel problema».

«Sì, ma che è successo?».

«Non è molto chiaro. Dice che non hanno i documenti in regola. Che le hanno portato via l'altro figlio. Certi tratti della storia non li ho capiti».

«Fino a qui c'ero arrivata anch'io!», mento.

«Guarda che è una cosa seria. Dice che l'hanno portato via gli stessi che l'hanno aiutata a sistemarsi qui».

«E adesso?».

«Intanto andiamo a casa, così si lavano e mangiano qualcosa».

Brava la mia Magda: che c'è di meglio di una doccia e un buon pasto per rimettersi al mondo? Un bambino è sparito, chissà cosa gli sta succedendo adesso, e mia sorella pensa all'igiene del corpo.

«Andiamo dai carabinieri. È meglio che corra il rischio di tornare al suo paese, piuttosto che perdere altro tempo».

«Abbi pazienza, ma lo sai cosa farebbero i carabinieri?».

«Sì, lo so: riempirebbero migliaia di cartacce e farebbero un sacco di domande del cavolo. Ma non c'è alternativa».

«I carabinieri non prendono in considerazione questi casi se non dopo ventiquattro ore. Il bambino è abituato a starsene da solo, a volte va in giro per conto suo. Le diranno che se non si fa vedere per questa notte vuol dire che è successo qualcosa, ma nel frattempo lei finisce in quei centri assurdi».

«Scusa, allora perché dice che glielo hanno portato via? Magari anche questa volta se n'è andato in giro da solo e poi torna».

«Sì, è quello che speriamo tutti. Lei però sostiene che lui sia sparito la notte scorsa prima dell'alba e di solito non lo fa. E poi quando esce per conto suo si porta dietro dei giornaletti. Dice che sono rimasti lì».

«E lei dov'era, scusa?».

«Yaya – così mi chiamano affettuosamente gli intimi – ma ci fai o ci sei?».

Magari ci sta prendendo in giro. Oppure è un falso allarme. E comunque non abbiamo gli strumenti per fare niente. Arrivate a casa provo in tutti i modi a farlo capire a mia sorella, finché non perde la pazienza e mi dice che nessuno mi obbliga a stare lì. A casa mia! Avremmo potuto litigare a questo punto, ma gli occhi di madre e figlia ci ricordano la situazione. Dopo che rimedio il necessario per il bagno delle due, entro in cucina e trovo mia sorella, che nel frattempo ha già preparato panini frutta biscotti e un termos pieno di tè, con in mano il mio modulo. Cazzo, il mio futuro! Me ne ero dimenticata. Oggi scade la domanda di ammissione. E le mie S? Che fine hanno fatto? Mi sento un po' messa a nudo. E anche un po' in colpa per non averle detto niente. Passiamo un lungo momento a guardarci, io e mia sorella. È come se ci fossimo scordate dei nostri volti. Come se avessimo dato per scontate molte cose per troppo tempo e non ci fossimo accorte che non siamo più noi ma continuiamo ad esserlo lo stesso. So che avrebbe tanto da dirmi, so che vorrei raccontarle tutti i miei pensieri adesso, so che vorremmo abbracciarci e piangere e ridere e litigare ancora una volta. Ma il rumore di chiavi nella toppa congela il nostro attimo fuggente.

«Cucù! Chi c'è a casa?». È la voce squillante di mia madre. Nello stesso momento, perché così succede, compaiono nel corridoio madre e figlia lavate e pettinate. Non faccio in tempo a vedere l'espressione di mia madre, ma temendo il peggio io e mia sorella urliamo all'unisono che è tutto a posto e che siamo entrambe a casa. Ci precipitiamo all'ingresso e troviamo la donna di nuovo in lacrime e mia madre che tenta di tranquillizzarla abbracciandola e accarezzandole lievemente le spalle. Con la coda dell'occhio, però, ci chiede che diavolo sta succedendo. Tento di riassumere in poche parole, mia sorella aggiunge dettagli, e nel giro di poco la situazione le si fa più chiara. E allora consola la donna con maggiore partecipazione.

«Ragazze, dobbiamo fare qualcosa al più presto!», e in arabo chiede il nome alla donna, cosa di cui ci eravamo scordate sia io che Magda. La donna si chiama Aziza, la piccola Maryam e il bambino scomparso Ibrahim.

«Facciamo così: qualcuno farà il giro degli ospedali, forse gli è successo qualcosa; e qualcun'altro andrà a casa loro a vedere se il ragazzo è tornato».

Anni di polizieschi mica vanno sprecati! Mia madre continua a guardare i gialli, ma ormai dopo tre minuti di pellicola sa perfettamente tutto ciò che accadrà: vittime, assassini, investigatori e amori.

«E chi fa cosa?». Io sono completamente dipendente dalle parole di mia madre, mi verrebbe quasi da dire sissignore e battere i tacchi.

Mia sorella collabora attivamente. Lei invece ha alle spalle gialli d'autore, ovviamente, mica i thriller che leggo io! «Mamma, tu dovresti stare con la signora, vi capite meglio. Prendi tu la macchina e fatevi il giro degli ospedali della loro zona. A noi non direbbero niente senza la madre».

Tento di dare il mio contributo: «Noi allora andiamo in motorino a casa loro». Non è molto, ma per iniziare va benissimo. E poi stiamo parlando in arabo. È da tempo che non ci capita di parlare in arabo tra di noi.

Ci troviamo io e mia sorella sul motorino a vagare per una zona ignota di Roma. Aziza ci ha spiegato per sommi capi dov'è la loro casa e ovviamente Magda sa. Guido io perché mia sorella è un'incapace sulle due come sulle quattro ruote. Percorriamo la Casilina e da lì, dopo un bel tratto, ci immettiamo in una strada che per un pezzo è il classico vialone di periferia con caseggiati grigi che si ispirano alla fantascienza pessimista degli anni Quaranta/Cinquanta. Non risparmio commenti sull'operato degli architetti e sulle loro responsabilità civili e morali nei confronti di intere fette della popolazione cresciute in ambienti come questi. Magda mi dà ragione. Strano. Non è mai successo. Finalmente arriviamo dove abita Aziza, almeno secondo il foglietto che ci ha mostrato. Non sembra nemmeno più di essere a Roma. Neppure nei film ho visto una cosa simile. Il palazzo sembra dover crollare da un momento all'altro, così come quelli intorno. Sono costruzioni recenti fatte alla meno peggio, con lo strettissimo necessario per essere catalogate come dimore. In alcuni punti non ci sono nemmeno i vetri alle finestre, ma teloni di plastica e cartoni a coprire dal vento e dal freddo. Siamo lì, imbambolate, a non credere ai nostri occhi. Mia sorella sussurra che ne aveva sentito parlare ma non immaginava fino a questo punto. Dice che sono case abusive (ovvio) che devono essere demolite dai tempi dei tempi (palese) e che sono state occupate da chissà chi (immagino). Poi però si è fatta avanti la malavita, e ora le gestisce affittandole agli immigrati e garantendo «protezione» dalla polizia, che qui, comunque, non metterà mai piede (...).

«Chi cercate?». Ormai parlano solo arabo in questa città? Ma realizzo che conciata in quel modo mia sorella non desta dubbi. Dopo una serie di salamelecchi, Magda risponde all'uomo che ci si è parato davanti che stiamo cercando la casa di Umm Ibrahim – che in gergo vuol dire la madre di Ibrahim, perché è quello che diventi una volta che hai procreato. L'uomo si rabbuia. Si fa ostile. Ci chiede perché e per come. Vuole sapere chi siamo e cosa ci facciamo lì, in Italia e là davanti. Santa mia sorella e santo Corano! Magda comincia la sua opera di persuasione, che è più perfida di quella di un procuratore finanziario. Un versetto, un'informazione data, una richiesta, un luogo comune, un dato di fatto, e l'uomo è ai suoi piedi. La chiama figlia, sorella, poi madre. Ci offre il tè, ma mia sorella rifiuta dicendo che le farà piacere tornare con suo padre (!). A quel punto può fare di lui ciò che vuole. Ma si accontenta di assicurarsi che se ne vada in pace.

Così scendiamo nella casa di Aziza, una cantina, con un sacco di informazioni in più. Ora sappiamo che la famigliola è arrivata in Italia più o meno un anno fa. Aziza è riuscita a trovare qualche lavoretto a ore, saltuariamente fa anche la badante a vecchie signore malate e spesso sta fuori la notte. Nabil, il nostro informatore, garantisce che sono tutti lavori da donna rispettabile. Ma questa è l'ultima delle nostre preoccupazioni. Pare che la parrocchia si sia occupata un po' di loro, così come i servizi sociali. Ma mia sorella sostiene che si tratta di volontari, perché se i servizi sociali li avessero beccati in un posto così le avrebbero tolto i figli all'istante... Pare che il ragazzino sia molto sveglio, e che faccia tutto lui. Non ha nemmeno dieci anni, secondo Nabil. Ha imparato presto a parlare l'italiano, e spesso aiuta un vecchio che ha una carretta e vende frutta e verdura sulla consolare. Il vecchio gli regala qualcosa da mangiare. Un bambino educato, ma molto timido, e poi il povero ragazzo deve badare alla sorellastra e alla madre. Eh sì, perché non sono figli dello stesso padre. Nabil ci ha fatto intendere che Ibrahim è figlio del peccato, anche se la madre sostiene che il padre sia il suo primo marito, per di più italiano. Per questo ha deciso di venire in Italia. Sperava che lo Stato li avrebbe mantenuti, una volta saputo che scorreva sangue italico nelle vene del figliolo. Ma non è andata così. Solo dopo lunghe e tortuose manovre mia sorella è riuscita a fargli dire la cosa essenziale, e cioè che Aziza si è indebitata fino al collo con quelli che l'hanno fatta arrivare qui. E secondo lui una cosa è certa: lo hanno preso loro per fare pressione sulla donna. O... e ci ha fatto intendere il peggio, perché con quelli non si scherza. Ovviamente non c'è stato verso di farsi dire chi sono «quelli».

Mentre giriamo per quella che Aziza chiama casa, una sensazione terribile ci assale. Ce lo leggiamo negli occhi.

«Mi ricordi di dire grazie a mamma, a Dio, al Caso, anche a papà a questo punto?».

«Sì, io cercherò di ricordarmi di baciare dove passa mamma e di digiunare di più. In quanto al Caso ne discutiamo. Ma papà proprio no».

La casa consiste in una stanza con un letto grande e una branda a fianco. Un tavolo sgangherato al centro con tre sedie pieghevoli e una credenzina su cui è appoggiato un fornello a gas da campeggio. Una stufetta per riscaldare e valigie come armadio. Una tenda lascia intravedere un lavabo, e immagino ci sia un wc. Niente doccia, niente vasca. Le pareti sono scure, grezze, come il suolo non pavimentato.

Accanto al lettino vedo alcuni giornalini, mia sorella li sfoglia. Topolino, Diabolik e altri di cui non ho mai sentito.

«Così lui sarebbe figlio di un italiano?», riprendo io per riempire il vuoto che sento in petto.

«Sì, così dice Nabil».

«E se fosse andato a cercare il padre? Magari lo ha trovato e lo vuole conoscere».

«Per ucciderlo, spero. Se trovi il responsabile del tuo vivere in un posto così come minimo lo sgozzi, poi ci passi sopra con un trattore». Mia sorella è sempre stata suscettibile sull'argomento «padre».

«Sì, forse hai ragione. Come fa un ragazzino a trovare un presunto padre italiano?».

Dopo un ultimo sguardo alla miseria usciamo. A respirare.

«Andiamo a parlare con il vecchio della carretta». Finalmente prendo l'iniziativa.

Troviamo il vecchio quasi subito. Sta fermo sul ciglio della strada all'altezza di uno slargo che immette in una fabbrica, almeno così sembra. La carretta è un'ape su cui sono sparsi poche verdure e qualche esemplare di frutta. Il vecchio è seduto su una sedia pieghevole, simile a quelle viste nella casa, e sta leggendo un fumetto.

«Buongiorno, ragazze! Volete della bella frutta fresca? Preferite una bella verza? Guardate questa, vi do anche una ricetta segreta che si faceva ai tempi di mia nonna!». A occhio e croce si riferisce al tempo dei garibaldini.

«Volentieri, grazie».

Mentre mette la verza in un sacchetto, il vecchio ci sciorina la ricetta della zuppa di verza e raza (?!). E mia sorella, dopo una serie di apprezzamenti e richieste di dettagli, gli chiede del bambino. Il vecchio ci guarda in malo modo.

«Che volete voi da *Ibraimme*? Chi siete? Mica siete dei servizi sociali?».

«Nossignore». E mia sorella riattacca a raccontare tutta la storia.

«Che brutta storia. Povero ragazzo. Lo sa che gli ho insegnato io a leggere? Vede, io non ho molto, e passo tutta la giornata qui con un po' di radio e vecchi fumetti, mi fanno tanta compagnia». Per farla breve, ci racconta tutta la sua vita, la pensione sociale, la casa che non ha e quel pezzo di terra che non è nemmeno suo dove però riesce a tirare su quei pochi prodotti, che lo fanno campare. Tra un disagio e l'altro esce fuori il ritratto di Ibrahim, un ragazzino vivace, chiacchierone, che vuole sapere tutto di questo paese. Un bambino di dieci anni giustamente curioso del mondo che lo circonda. «Chiedete agli zingari, loro l'hanno portato via». Ci mancano solo gli zingari.

Insomma, l'unico risultato è la verza e la ricetta che entusiasma mia sorella. Ritorniamo alla casa nella speranza di trovare Ibrahim che aspetta madre e sorella leggendo un bel fumetto.

Mentre scendiamo le scale che portano alla cantina una saetta ci travolge, facendoci cadere. Il tempo di uno sguardo e ci precipitiamo fuori. Un ragazzo sta fuggendo. Ovviamente gli corriamo dietro. Non ho più il fisico. Questo corre come un dannato, mia sorella gli sta quasi dietro, e a me squilla il telefonino.

«Pronto!», rispondo affannata.

«Yaya, che ti succede? Che stai facendo?».

«Simona! Niente, tutto bene, sto solo rincorrendo un ragazzo che è scomparso o quello che l'ha rapito. Ti richiamo. Ciao».

Proprio mentre spingo il tasto rosso e rialzo lo sguardo, il mio cuore si ferma e io insieme a lui. Mia sorella è poco più avanti con ancora in mano la busta con la verza. Dove cavolo siamo capitate? Pensavo di essermi lasciata alle spalle l'inferno uscita da quella cantina, invece è solo un girone. Il ragazzo ci ha condotte dritto dritto in una baraccopoli. Cioè in un campo nomadi. Dagli zingari. Dio santo!

«Magda! Mica vorrai entrare lì dentro?».

«Perché, hai paura?». Non è la voce di mia sorella. Tre tipi si sono materializzati dietro di noi e ne vedo altri arrivare dalle baracche. Mia sorella torna verso di me e mi bisbiglia, più minacciosa di loro, di stare assolutamente zitta, di non aprire bocca per nessun motivo. Si avvicina a quegli uomini. Li saluta e ricomincia il suo show. Questa volta fa la donna dura. Non guarda negli occhi nessuno ma sembra che si rivolga a qualcuno in particolare, con decisione, forse a chi le sembra il capo. Tira fuori le sue referenze, sciorina nomi e fa riferimento ad altre zone, forse altri campi. Dopo un tempo che mi sembra un'eternità, arrivano al punto. Mi accorgo che siamo circondate da una folla di occhi che ci squadrano. Sono un po' incazzati perché stavamo inseguendo un loro ragazzo. E non gli sembra affatto una cosa giusta, visto che il ragazzo non ha fatto niente. Intanto compare il ragazzino, che non assomiglia per nulla alla foto di Ibrahim che ci ha dato la madre. Mia sorella prova a spiegare per sommi capi il perché di quell'inseguimento, ma non sembra convincerli.

«L'hanno portato via loro, Magda, e ora ci ammazzano!», sussurro io quasi con le lacrime agli occhi.

«Ti ho detto di stare zitta. E basta con questi luoghi comuni!».

«Che volete voi dal bambino? Siete dei servizi?». È una fissazione questa dei servizi sociali.

Magda riprende la trattativa, e racconta delle mamme che stanno cercando il bambino negli ospedali, cercando di commuoverli un po'. Niente. Tosti. Non dicono una parola. Mia sorella si sta incazzando. Poi scrolla le spalle, guarda l'orologio, si guarda intorno e chiede: «Dove posso pregare, qui?». Smarrimento.

Ho un'illuminazione: ma non sarà che mia sorella usa il velo e tutto l'armamentario come cavallo di Troia? Non si sarà mica infiltrata nella comunità per creare una quinta colonna e fare la rivoluzione dall'interno?

«Vieni sorella, vieni con me». Un vecchio si fa largo tra la folla, la prende sottobraccio e la conduce in mezzo alle baracche con tutto il corteo dietro. Io ovviamente mi incollo alle sue spalle. Ma temo il peggio. Nessuno sa che siamo qui. E nessuno ci troverà mai, cazzo! E poi ormai è buio. Fra un po' mi viene una crisi isterica. Succedono sempre così le disgrazie.

L'uomo ci fa entrare in una casupola e impartisce una serie di ordini a brutto muso. Portano una bacinella d'acqua, mia sorella la prende e segue l'uomo in una stanza. Poi lui torna, e aspettiamo tutti. E ora che faccio? Vado a pregare anch'io? Forse sarebbe meglio morire così. Qualcuno mi porge un bicchiere con dentro qualcosa di colorato, proprio mentre rispunta mia sorella finendo di fare i suoi saluti ai Profeti, e anche a lei offrono la stessa bibita. Lei prende e beve, come se niente fosse. Microbi, germi, virus, bah! Il vecchio ci fa segno di sedere, mia sorella gli dice gentilmente che vuole andarsene. Lui insiste e chiama qualcuno. Mia sorella mi fa segno di sederci e dalla folla sbuca il ragazzo che abbiamo rincorso. Il vecchio gli parla, cioè a me sembra che gli stia sbraitando addosso. Il ragazzo fa segno di no con la testa. Il vecchio insiste. Il ragazzo dice timidamente qualcosa, ma sembra che sbraiti anche lui. Poi il vecchio ha la meglio e il ragazzo si rivolge a mia sorella.

«Io conosco Ibrahim».

«...»

«Lui sta bene. Non ti preoccupare. Tu dillo a sua madre che non si deve preoccupare. Lui torna. Sicuro».

Oh! Finalmente qualcosa che abbia un senso. Ora possiamo anche andare. Ma mia sorella non è dello stesso avviso. Continua a sorseggiare la bevanda.

«Non posso dirti dov'è! Ho promesso!», il ragazzo ora urla.

«Va bene, non me lo dire. Portamici e basta». Demonio di una sorella.

Telefoniamo a mamma per dirle di portare madre e figlia alla base, cioè a casa loro. Nel giro di pochi minuti ci troviamo di nuovo davanti allo scantinato, e quando arrivano le mamme raccontiamo brevemente tutto. Certo, di lasciare il motorino lì non mi va per niente. Il ragazzo, che si chiama Shopa, capisce e mi fa l'occhiolino, spero per rassicurarmi. Saliamo tutti nella nostra piccola utilitaria e mia sorella si mette alla guida. Allora per distrarmi gioco con la piccola, che non sembra preoccuparsi molto per il fratello, anzi è eccitata per tutto questo movimento. Anch'io sono quasi euforica, ringrazio il cielo di essere ancora viva.

Seguendo le indicazioni di Shopa prendiamo per Frascati e cominciamo a scalare una strada piena di curve, da cui però vediamo Roma tutta illuminata, bella e ignara di quello che le accade intorno, in mezzo, ovunque. Giriamo a vuoto per un bel po'. Comincio a pensare che abbiamo fatto male a fidarci del ragazzino. Bella trovata quella di mia sorella! «Portamici!». Altro che gialli d'autore, quelli di terz'ordine hanno battute di questo genere. Ma che ne sa questo ragazzino? Vaghiamo per circa un'ora, più volte ricapitiamo nello stesso posto, finché non sbottiamo tutte ed è l'ammutinamento. Mia madre urla, Aziza urla, la piccola urla, ovviamente urlo anch'io.

«Ma perché dovrebbe stare qui a Frascati? Si sta forse ingozzando di porchetta e vino? Possiamo dare retta a un ragazzino zingaro?».

«Piantala Yaya. Non è carino quello che stai dicendo, né l'allusione alla carne, né a Shopa.»

«Magda, mi hai stufata. Stai guidando come un'ubriacona, siamo una folla qui dentro, non ho mangiato, non ho bevuto e devo andare al bagno. Chiamiamo i carabinieri! È il loro lavoro! Mica quello di una banda di pazzi disadattati come noi».

Frenata con accostamento a destra e relativi insulti degli altri automobilisti.

«Scendi».

«...»

«Avanti, scendi».

«Magda, su. Siamo tutti stanchi. Non mi sembra il caso di fare tante scene. Anche tu, Hayat, piantala. Siamo tutti nelle stesse condizioni. Solo che c'è qualcuno che forse sta peggio». L'intervento di mamma è da sempre decisivo nelle nostre liti.

La macchina riparte, solo che ora è Aziza a frignare sommessamente. E comincia a dire che non è una buona madre, che il suo bambino è scappato da lei, che non lo rivedrà più.

Così anche la piccola le si accoda. Shopa non capisce l'arabo, e non so se per gentilezza o per freddo calcolo mia sorella gli traduce tutto esagerando un po'. A Shopa quasi vengono le lacrime.

«Non è vero, traduci. Lei non è una cattiva madre. Non c'entra niente lei. Lui vuole solo conoscere suo padre». E dopo aver pronunciato queste parole Shopa si rende conto di aver tradito l'amico. Allora comincia a disperarsi lui. E dice che nessuno gli confiderà mai più niente, perché è un traditore, un infame, uno che non riesce a tenere la bocca chiusa.

«Ragazzino, raccontaci tutto senza troppe storie, che siamo tutte stanche. Poi risolviamo anche il tuo di problema». Mia madre sta perdendo la pazienza. Shopa quasi trema e si rende conto di stare in una macchina piena di femmine isteriche, con una pazza alla guida.

E così veniamo a sapere che il piccolo Ibrahim voleva conoscere il padre. In una delle scorribande burocratiche con la madre aveva letto su un documento il nome e l'indirizzo del padre. Così si era fatto aiutare da Shopa e dai suoi amici e avevano scoperto che quell'indirizzo corrispondeva a una piazzetta di Frascati. Lui, Shopa, era andato in avanscoperta, e oggi toccava a Ibrahim. Tutto qui.

«Lo sapevo io che c'entrava il padre!», dico trionfante. Mia sorella quasi va a sbattere contro il marciapiede. Allora è proprio il termine che le crea scompensi.

«Eccoci, giuro, è qui. Ora ricordo». Arriviamo in una piazza, facciamo un giro e proprio su una panchina sta seduto un bambino. Aziza impazzisce. Urla, fa per scendere dalla macchina, ma è seduta dietro e la nostra ha tre porte. Tutta la banda fa un po' di manovre sconnesse finché la madre non riesce ad uscire e ad avventarsi sul figlio, che proprio non si aspetta quella scena.

In un moto di generosità, mia madre ha deciso di offrire la pizza a tutti per festeggiare il lieto fine. Mezz'ora dopo ci ritroviamo seduti in un ristorante a scaricare la tensione su bruschette, fritti, pizza e bevande più o meno imperialiste. Aziza passa da un eccesso all'altro: rimprovera al figlio la sua disperazione insultandolo in tutte le lingue che conosce, poi se lo sbaciucchia facendogli moine che il bambino non gradisce affatto. Shopa è proprio simpatico, mi fa ridere da matti con le sue barzellette. Ibrahim ci mette un po' a capire quella strana banda con cui si accompagna la madre, ma sta tranquillo perché c'è il suo amico Shopa. Guardo mia sorella mentre racconta entusiasta del recupero della tradizione culinaria romana attraverso la ricetta di verza e raza e mi accorgo che il suo foulard è... grazioso! Porta anche un leggero maquillage, ormai sfatto dall'atipica giornata.

E d'un tratto mi ricordo che ho perso l'occasione della mia vita. Peccato, sarei stata brava come investigatrice. Invece mi toccherà fare l'avvocato, nera. Mi metterò in società con Simona: lei li acchiappa e io li faccio uscire. Così nessuna delle due si ritrova senza lavoro.

Ibrahim non dice niente e noi non vogliamo sapere niente. Riportiamo tutti alle rispettive case. Salutiamo Aziza, la piccola che dorme da un po' e Ibrahim. Io nemmeno mi stupisco di non ritrovare il motorino. Certo, vallo a dire all'assicurazione che l'ho lasciato nella terra di nessuno! Arriviamo all'entrata del campo, che ora appare anche più spettrale di qualche ora fa. Shopa mi tira per la manica e fa uno strano verso. Dal buio spuntano delle sagome che trascinano un motorino, il mio!

«Sai, certi posti sono un po' pericolosi, allora i miei fratelli lo hanno custodito per te. Forse hanno fatto solo un giro». Il mio sorriso si affloscia. E se ci avessero fatto una rapina finita tragicamente? Chi lo spiega al maresciallo che l'ho lasciato in custodia a quattro zingari? Li ringrazio tutti però, perché intanto ho il mio motorino. Così ce ne torniamo a casa. Io arrivo per ultima. Mentre salgo le scale leggo i messaggi ricevuti sul telefonino. La mia S ha spedito il modulo contraffacendo la mia firma! Cominciamo bene! Però una decisione almeno è stata presa.

Entrando a casa mi sembra di aver sognato tutto. Ma sento un bisbiglio che viene dal bagno. Non sarà mica arrivata l'ora x?

«Dai Yaya, sbrigati, ti abbiamo preparato un bel bagno caldo!», urla mia madre dal... bagno!

In un attimo sono dentro alla vasca con la schiuma che trabocca. Mia madre, tutta cosparsa di crema anti-tutto e pro-tutto, è seduta sullo sgabello a raccontare della nipote dell'inquilina del terzo piano che si è sposata con un bruttone pieno di soldi, mentre mia sorella ribadisce che non è detto che siano stati i soldi ad attirarla, perché anche i bruttoni hanno diritto ad autoaffermarsi e non sono solo l'aspetto fisico o il portafoglio che determinano il valore di una persona come vorrebbe questa società dell'immagine corrotta e malsana. Seduta sulla tazza con «Le monde diplomatique», in lingua originale ovviamente.

Le fisso per un lungo istante e mi accorgo che stiamo parlando. Alla faccia del bisbigliatore.

Avvertenza

I testi *Curry di pollo* e *Documenti, prego* sono stati pubblicati per la prima volta nel volume *La seconda pelle*, Edizioni Eks&Tra 2004. Il testo *Salsicce* è stato pubblicato per la prima volta nel volume *Impronte*, Besa Editore 2003. A tutti e tre i testi è stato assegnato il premio Eks&Tra.

L'associazione Eks&Tra promuove la conoscenza e la diffusione della letteratura della migrazione in Italia e ha raccolto più di milleottocento scritti di autori migranti, in parte disponibili online al sito www.eksetra.net. Ogni anno l'associazione organizza il concorso Eks&Tra per scrittori migranti in collaborazione con il Comune di Mantova e con il Dipartimento di Italianistica dell'Università di Bologna. Per informazioni: Associazione interculturale Eks&Tra, via Zenerigolo 17, 40017 San Giovanni in Persiceto (BO). Tel. e fax: 051/6810350. Email: eksetra@libero.it.